v h m

Homens
imprudentemente
poéticos

Valter
Hugo
Mãe

BIBLIOTECA AZUL

Copyright © Valter Hugo Mãe, 2016
Copyright © 2016, by Editora Globo S.A.

Todos os direitos resevados. Nenhuma parte desta edição pode ser utilizada ou reproduzida – em qualquer meio ou forma, seja mecânico ou eletrônico, fotocópia, gravação etc. – nem apropriada ou estocada em sistema de banco de dados, sem a expressa autorização da editora.

Por decisão do autor, esta edição mantém a grafia do texto original e não segue o Acordo Ortográfico de Língua Portuguesa (Decreto Legislativo nº 54, de 1995).

EDITORA RESPONSÁVEL Juliana de Araujo Rodrigues
EDITOR ASSISTENTE Thiago Barbalho
PROJETO GRÁFICO E CAPA Bloco Gráfico
ILUSTRAÇÕES Paulo Ansiães Monteiro

CIP-BRASIL. CATALOGAÇÃO NA PUBLICAÇÃO
SINDICATO NACIONAL DOS EDITORES DE LIVROS, RJ

M16h
  Mãe, Valter Hugo [1971–]
    Homens imprudentemente poéticos:
  Valter Hugo Mãe
    1ª ed., São Paulo: Biblioteca Azul, 2016
    192 pp., 8 ils.; 22 cm

ISBN 9788525063281

1. Romance português. I. Título.

16-36817   CDD: 869.3

CDU: 821.134.3-3

1ª edição, Editora Globo, 2016
4ª reimpressão, 2022

Direitos exclusivos de edição em língua portuguesa, para o Brasil adquiridos por
Editora Globo S.A.
R. Marquês de Pombal, 25
20.230-240 – Rio de Janeiro – RJ – Brasil
www.globolivros.com.br

13
prefácio

23
primeira parte

A origem do sol

25
Itaro, o artesão

30
A lenda do oleiro
Saburo e da senhora
Fuyu

36
A cega menina Matsu

40
A criada,
senhora Kame

44
Afogar a
menina Matsu

48
A ideia intrusa

50
Os honoráveis
suicidas

54
O detalhe

57
Matar

61
O quimono morto da
morta senhora Fuyu

64
O homem que mentia
às flores,
o homem que mentia
aos pássaros

67
Amor, sorte, amor,
sorte, amor, sorte

70
Arte da fome

76
A lágrima de fumo

77
segunda parte

O homem interior
a todos os homens

79
O homem
sem semelhanças

83
Repreensão a Saburo

87
O homem útil

91
Arte da tempestade

94
A ossatura útil

98
A floresta

104
Ficar criança

107
O pai ubíquo

112
Abrigo

114
A corrupção da prece

118
A súplica

121
Olhar para sempre

122
A lenda do poço

143
terceira parte

A fúria de cada deus

145
Os peixes falantes
do lago Biwa

149
A lenda da cega no
lago Biwa

152
Escutar o sorriso

155
quarta parte

A síndrome de Itaro

157
Os últimos olhos

162
Caçada

168
O lado dos deuses

172
A presença do corpo

174
A simplificação
do corpo

177
A imprudência
poética

181
nota do autor

prefácio

Na noite em que terminei de ler *Homens imprudentemente poéticos* tive um sonho. Sonhei que levitava a alguns centímetros do chão. Diante de mim havia um pórtico, de colunas de mármore, precedido de cinco degraus. Dentro, um anjo me aguardava. Para entrar assim, sem pôr os pés no chão, eu teria de ter fé, acreditar que seria possível voar. Entrei e acordei.

    Escrever sobre Valter Hugo Mãe, e ler seus livros, é adentrar território sagrado. Da imaginação e da língua portuguesa. Nenhum outro autor tem testado com tanto sucesso os limites e a beleza do nosso idioma. Sua obra é repleta de poesia e desassombro linguístico. É uma surpreendente e poderosa exceção em um ambiente literário em que tudo se tornou previsível e confortavelmente repetitivo. Destaca-se numa paisagem reconhecidamente pobre, na qual, descontados nomes como o do genial moçambicano Mia Couto e uma ou outra promessa ainda por se confirmar, nada de muito interessante tem acontecido. Mais pobre cá do que lá.

    Conheci Valter Hugo Mãe, o autor em carne e osso, na cidade do Porto, no lançamento de um de meus livros em Portugal. Somos publicados pelas mesmas editoras nos dois lados do Atlântico, a Globo Livros e a Porto Editora. No primeiro encontro, surpreendeu-me pela aparência tímida, de poucas palavras, a barba crescida e precocemente grisalha, a tentar, inutilmente, esconder o olhar penetrante, curioso. Depois disso, interessei-me cada vez mais pela sua obra. Sou um autor de não ficção, mas, quando não estou a trabalhar, aprendo a escrever, a ter imaginação, lendo seus romances.

Ao leitor não iniciado nas suas artimanhas, o primeiro contato com os livros de Hugo Mãe pode ser desconcertante, até incômodo. Foi assim comigo. À primeira vista, os capítulos parecem não fazer sentido, descolados e desengonçados entre si. Teme-se que lhes falte enredo e sequência definida. Que o autor tenha perdido o rumo, sem saber ao certo como amarrar a história. Os personagens vão saindo das sombras, de contornos pouco definidos e sem razão aparente. As frases são curtas, de significado estudado e preciso, intensamente poético, mas de ritmo estranho a quem estiver habituado a uma narrativa convencional. Tudo é parte de habilidosa construção, cuja arquitetura só se percebe ao avançar da obra.

Ambientado no Japão, *Homens imprudentemente poéticos* tem como protagonistas o artesão Itaro e o oleiro Saburo, cujas vidas são permeadas de sombras, medo e mistério. O ódio aparente entre eles é também o reverso do encanto e da atração que um exerce sobre o outro. Habitam uma aldeia ao pé de uma montanha frequentada por suicidas, na borda da qual Saburo teima em cultivar um jardim, em inútil tentativa de domar a desesperança dos vivos e a assombração dos mortos. Itaro, seu vizinho, pinta leques – "os mais frescos de todos os leques do Japão"; "pedaços de neve das montanhas do norte".

Hugo Mãe é um autor com múltiplas vocações e atividades. Além de romancista de grande sucesso, com livros premiados e traduzidos em diversos países, é poeta, editor, artista plástico, autor de livros infantis, apresentador de televisão, vocalista e letrista da banda *Governo*, além de cultivar forte presença nas redes sociais. Metódico ao escrever, tem o hábito de lapidar inúmeras vezes cada palavra, cada frase, com o cuidado de um artesão ou de um oleiro japonês. Este novo livro, recomeçou dezessete vezes antes de chegar à versão final. Em algumas delas, recomeçou tudo, do zero, quando já tinha ido além da página cem, ou seja, metade da obra.

A disciplina e o talento o transformaram ainda jovem em um dos mais importantes nomes da literatura portuguesa contemporânea. "Um tsunâme literário", como o definiu José Saramago certa vez. Foge sempre à vulgaridade e ao lugar-comum. Esforça-se por se reinventar, sem nunca se acomodar ao sucesso de fórmulas passadas. Segundo diz, um escritor jamais pode estar satisfeito com a própria criação. Pode até estar temporariamente apaziguado com um livro recém-concluído, porém jamais satisfeito. Caso contrário, será um autor morto. "Se as pessoas não se surpreendessem com meu livro, eu ficaria desolado", afirmou ao *Diário de Notícias*. Já no final deste livro, coloca na boca de um de seus personagens duas frases que parecem resumir a própria insatisfação literária: "É ofensiva a arte. É ofensivo que nunca se baste".

Sorte dos leitores que Valter Hugo Mãe e sua extraordinária obra nunca se bastem.

Nos seus quatro primeiros livros, incluindo *a máquina de fazer espanhóis*, prefaciado no Brasil por Caetano Veloso, escolheu escrever apenas com letras minúsculas, obviamente inspirado pelo estilo de Saramago. Neste livro, voltou a usar maiúsculas, como já fizera em *O filho de mil homens*, mas ainda guarda reminiscências de Saramago na decisão de reduzir a pontuação às vírgulas e pontos, sem se render jamais aos sinais de interrogações, exclamações, reticências, travessões e outros recursos usuais do idioma. Estes permanecem como munição de reserva para suas futuras ousadias linguísticas e gramaticais. Ao fazer isso, Hugo Mãe imprime à língua portuguesa "uma elasticidade de que a julgávamos desprovida, encontrando-lhe novos ritmos, inventando-lhe novas imagens, produzindo-lhe toda uma outra semântica", como escreveu na orelha da edição portuguesa o escritor e músico Adolfo Luxúria Canibal (pseudônimo do advogado Adolfo Augusto Martins da Cruz Morais de Macedo, como Valter Hugo Mãe é nome artístico do também advogado Valter Hugo Lemos).

Portugal chegou ao Japão em 23 de setembro de 1543, quase meio século depois de Cabral atracar na Bahia. Chegou por acaso, navegando à deriva, na ilha de Tanagashima, depois de uma tempestade e do quase naufrágio do barco de junco chinês no qual viajavam três portugueses – António Mota, António Peixoto e Francisco Zeimoto. Foram eles que apresentaram as armas de fogo aos japoneses, que com elas conseguiram unificar o país nas décadas seguintes. Desde então, nenhum outro lugar do planeta tem exercido tanto fascínio no imaginário português. Com exceção apenas do Brasil, a maior e, possivelmente, a mais conturbada de todas as invenções portuguesas, hoje de futuro incerto e perigoso.

Foi esse fascínio ancestral que levou Hugo Mãe ao Japão, numa fase de sua obra literária ambientada em ilhas remotas e misteriosas. Seu romance anterior, *A desumanização*, teve por cenário a deslumbrante e gelada Islândia.

A floresta dos suicidas existe de fato, no sopé do monte Fuji, a montanha símbolo do Japão. O suicídio é parte da cultura japonesa, que não lhe dá o sentido de derrota e desespero com que é tratado no Ocidente. Na tal floresta, visitada por Hugo Mãe, os suicidas obedecem a um ritual. Antes de entrar pelo labirinto verde montanha acima, atam às árvores fios de tecido colorido, que lhes marcam o caminho. Como na estória de Ariadne, o cordel permitirá que retornem pelo mesmo percurso caso desistam de morrer depois de meditar sobre a própria existência. Muitos regressam, outros não.

Homens imprudentemente poéticos oferece um olhar sensível sobre a delicada e milenar cultura japonesa. Pendurado ao vento, o quimono vazio da senhora Fuyu paira sobre a história como um espantalho, símbolo da ausência da mulher do oleiro Saburo, devorada por uma fera imaterial numa noite muito escura. Como a imagem do quimono, perpassa o romance a ideia de que a chave de todo enigma do drama humano está na sombra, na penumbra, na cegueira física que joga luz sobre o mistério. Seu personagem ícone é a menina cega Matsu, irmã do artesão Itaro, que, apesar de viver na escuridão, tem um coração grato, alegre e generoso.

Curiosamente, o mesmo olhar microscópico sobre a aldeia japonesa confere ao livro o tom de obra universal, de conteúdo profundamente humano, cujo enredo diz respeito a cada uma das sete bilhões de pessoas que hoje habitam o planeta. O capítulo sobre a lenda do poço é uma aula de psicanálise, ao explorar a sombra e os fantasmas que habitam nas profundezas de cada pessoa. "Apavorado com o escuro, se amigou do próprio medo", escreve Hugo Mãe ao narrar a experiência do artesão Itaro, obrigado a passar sete sóis e sete luas no fundo de um poço escuro, "o ventre puro do Japão", na companhia de uma fera que, depois se descobre, era a encarnação imaginária de suas próprias dores e incertezas.

Homens imprudentemente poéticos é óbvio candidato a melhor romance em língua portuguesa de 2016, como se percebe logo nas páginas iniciais. Um livro para ler devagar, sem pressa. E para reler muitas vezes.

Laurentino Gomes
Itu, outubro de 2016

Chieko descobriu as violetas que floresciam no velho tronco do carvalho. "Floriram também este ano." Com estas palavras foi ao encontro da doce Primavera.

Yasunari Kawabata, *Kyoto*

para Yasujiro Ozu
para Hayao Miyazaki

primeira parte
A origem do sol

Itaro, o artesão

Quando Itaro caçou o besouro e o golpeou, até que o seu corpo mínimo restasse apenas mancha na madeira do chão, era mais do que o besouro que queria matar. Itaro queria matar uma ideia.

Demorava, depois, a observar a cor ténue do bicho desfeito, ponderando artes de adivinhação para cuidar de um futuro qualquer. O artesão considerava as cores imiscuídas nas rugas da madeira e mantinha-se aflito. Recusava-se a falar. Esperava. Embora nada se movesse, aguardava ainda a visão completa do que queria saber, como se o bicho morto fosse uma mensagem aberta que haveria de permitir ler-se na limpidez do ar.

A criada Kame juntava-se à menina Matsu para se impedir de incomodar. O artesão andava há tempos agravando, feito de fúrias constantes, anunciando piorias e apressando o trabalho. Dormia menos, comia engasgado, esquecia palavras, abria feridas.

Subitamente, o homem inclinou-se vertendo a cabeça ao chão e chorou. As duas mulheres apertaram-se. O que ele houvesse sabido era para os entristecer a todos. A criada Kame já se desenganara. A coincidir com as estranhas visões de Itaro, esfriavam-lhe os cotovelos. Dois pedaços de gelo se metiam nos ossos a avisar do susto. Ficava onomatopeica. Magoada. A cega Matsu perguntava: o que é. O que é. A outra queria sossegá-la, afagando-lhe atabalhoadamente os cabelos.

O artesão descobria notícias do futuro havia muito, usando absurdamente o exacto instante da morte dos bichos. Teria sido um peixe que caçara com o pai, ainda criança, que pela primeira vez se expôs diante dos seus olhos estupefactos. Passada a tarde em afazeres e andanças, chegados a casa ainda o peixe resfolegava numa lenta agonia. E o rapaz pediu licença para o arranjar, vira muitas vezes o golpe inicial, o ritual educado da mãe e da criada, pelo que saberia bem transformar a sua pescaria na refeição grata da família. Serviu-se da lâmina e assim o fez. Atentou na quietude do animal, depois do corte, estendido como morte generosa, uma morte de comer. Pensou. E a pensar assim se lhe turvaram os olhos, como julgou inicialmente que fosse pela claridade. Pestanejou, desviou-se da luz, voltou a encarar o peixe aberto e repensou: uma morte de comer. No inexplicável da consciência lhe foi deixada a notícia de que iria ter uma irmã. Sem ver, pensava assim. Sem ver. Compreenderia mais tarde que o peixe lhe especificara que Matsu nasceria cega.

Dessa primeira vez já a senhora Kame se manifestara. Sem saber o que lhe dava, explicara que era um frio a distribuir-se pelos ossos. Nos meus ossos é a noite de inverno. Dizia e esfregava os cotovelos a fazer o calor possível. Enquanto Itaro pasmava para o interior de si mesmo, os seus pais admitiam que a criada fora percorrida por um espírito solto. Calavam-se para respeitar a hipótese de alguma decisão divina os auscultar. Queimavam incenso a prestigiar os antepassados e o ânimo do mundo, simbolizavam com austera dignidade as oferendas no pequeno altar, aligeiravam palavras e sorriam por graça. O Japão era uma ordem generosa. Respeitavam-na. A senhora Kame também se dividia entre ficar doente dos ossos ou visitada pelo sopro da inteligência universal. Por esse motivo, procurava explicar o que sentia sem parecer queixar-se. Era como definir uma dor por gratidão. Pressentia que deveria agradecer e acarinhar aquele peculiar medo. O medo era também uma presciência.

Mas nem sempre a morte dos bichos se expunha ao artesão como anúncio do futuro. Por vezes, eram apenas corpos debitados no movimento da vida. Coisas acabadas em surpresa mas destituídas de conteúdo, sem préstimo senão para a fome dos outros ou para o estrume da terra.

Em crise, Itaro haveria de abrir insectos como quem seguia por um caminho a fazer perguntas aos que passavam. Matava para perguntar. Já o pai o alertara para a incúria de sucumbir a uma curiosidade ao invés de obedecer apenas à fome. Dizia-lhe que eles mesmos, mortos, se tornariam revelações profundas, absolutas aos seus próprios espíritos, e talvez a euforia com a leitura da morte o levasse ao suicídio. Itaro respondia que mantinha a bênção da sensatez e sempre se desculpava. Peço perdão, meu pai. Mas o pai mantinha uma zanga nos olhos para gerir a moral deslumbrada do filho.

Nesse primeiro dia, Itaro perguntou: é verdade que vou ter uma irmã. O homem respondeu: faremos pedidos para que seja um menino. Assim lhe confirmou a alegria de esperarem um segundo filho. Itaro alegrou-se também.

Ponderaria para sempre, de todo o modo, acerca do que noticiaria o seu corpo morto. Se houvesse de se matar, que adivinhação guardaria o seu corpo ao espanto do espírito atirado à liberdade. Perguntava-se.

Ergueu a cabeça, limpou as lágrimas e mandou que regressassem à normalidade. A criada hesitou perguntar o que lhe fora revelado, apenas disse: senhor. E o artesão confirmou que estaria para chegar o velho sábio. Mas valia nada enquanto visão. A pequena comunidade fora avisada com formalidades importantes de que a casa nova, tão ali ao pé, haveria de ocupar-se por um grande homem, um velho que seria como ouro humano para o centro das fraquezas morais daquelas pobres gentes. A criada Kame respondeu: obrigada. E sabia, pela noite de inverno nos ossos, que a morte do besouro contara ao patrão algo muito mais terrível do que a presença já prometida de um homem perfeito entre os fracos aldeões.

Varreu da madeira o pó a sobrar do besouro. A senhora Kame, solene, escondia o gesto de Itaro para que nada nas evidências se prolongasse pela morte. A vassoura era-lhe do corpo. Inquieta, passaria o tempo a varrer em redor da casa, igual a querer ordenar o granulado infinito da própria terra. Acalmava com o gasto físico. O medo era-lhe uma energia que precisava de despender. A criada, sem visões, media apenas o tamanho do azar. Sabia que viria um azar grande. Talvez o maior de todos. O pior. Circundava a casa repetidamente e fazia contas. O desespero de Itaro era sempre maior quando o destino da irmã perigava. A pequena e desprotegida Matsu, pensava a criada Kame, era uma criatura de pura beleza abandonada no escuro. Passava os dias gritando: musumé, onde estás. E a menina cega respondia: no teu coração. E a criada insistia: e mais onde. E a menina cega respondia: aqui, junto à pedra. Que era o mesmo que dizer que estava em preces. Estava sempre em preces, porque era o mais corajoso que tinha para fazer. A criada, como Itaro, sabia que Matsu explicava aos deuses a vida na mais terna honestidade. De qualquer maneira, a jovem cega honrava a sua família e toda a piedade que auferiam havia de ser sobretudo por graça dela.

Ajoelhada no humilde altar, a cega passava entre dedos os grãos de sal. Acariciava o sal. Julgavam os outros que lhe vigiava a secura e a adequação à missão de oferenda, mas a menina imaginava sobretudo que sossegava o corpo do mundo.

A lenda do oleiro Saburo e da senhora Fuyu

O oleiro começara a cuidar de flores na orla da montanha havia muito. Uns cem passos de jardim sob as copas das primeiras árvores, um alarido de cores e perfumes que contrastava com o rude que as coisas selvagens podiam ser. Acusado de se esperançar por belezas de que a natureza prescindira, Saburo trabalhava à vista da sua esposa, a senhora Fuyu, que sempre se oferecia para ajudar sem que ele aceitasse. O jardim na floresta era uma renda colorida na franja subindo da montanha. No pé da montanha, junto ao caminho, abria a planície, onde imediato se punham as casas e se lavravam os campos. Viviam diante do sagrado labirinto selvagem, a imensa elevação que os sobrevoava espiando, atenta certamente às iniquidades comuns e à pobreza dos homens.

Por três vezes o vizinho Itaro lhe dissera que um animal esfaimado haveria de baixar a montanha para lhe matar a mulher. Saburo, justificado pelo amor, magoou-se longamente e quis saber de que modo poderia demover tal fera de lhe trazer tão impossível dor. O vizinho, talvez por pouca definição das suas premonições, talvez incauto, o aconselhou a mudar a natureza. Queria certamente aludir à utopia de o conseguir, mas a Saburo pareceu-lhe assim, que se destituísse a floresta do seu cariz selvagem amansariam as bestas, ganhariam coração, seriam um pouco domésticas, como alguns pássaros que se habituavam a amizades com as gentes. Saburo pensou.

Por todo o tamanho que pudesse, haveria de fazer da floresta um jardim sensível que, à passagem de qualquer bicho zangado, funcionaria como escola de modos, uma lição de ternura e respeito que ensinaria a todas as fomes a importância de respeitar a vida das pessoas. Os bichos aprenderiam a piedade pela ostentação esplendorosa e esperançada da beleza.

Nunca o dissera à senhora Fuyu, que sentira por intuição um gesto de amor em cada pé de flor. O oleiro haveria de a proteger até da tristeza de conhecer que ameaça pendia sobre a sua cabeça. Queria que ela fosse tão propensa ao sorriso quanto o pudesse ser. Haviam avelhado sem filhos. A pequena comunidade tinha-lhes compaixão e notava bem que se deixavam nos amores igual a serem crianças a vida inteira. Eram pouco normais, diziam assim. Faltavam à lucidez por solidão. Saburo alegrava-se julgando que o esforço sensibilizaria também o espírito divino. O tempo passava e a sorte continuava. Era um sinal de que o destino se compadecia com o plano bonito de mudar absurdamente as maneiras do mundo. Dizia: ando a curar o destino. Acreditava que o mérito convencia os deuses, como se os pudesse também educar.

A extensão tremenda do jardim, dentro por ali acima das árvores, cansava o oleiro, que se dividia entre os afazeres do costume e a obstinada intenção de progredir montanha inteira à medida das suas forças. Nem seria no tempo de três vidas que conseguiria ter apenas flores na gigante obra selvagem. Uma obra gigante do Japão era absoluta demasia para a ternura de um só homem. Saburo atarantava-se mas seria sempre mínimo entre tanta exuberância, um bocado de vida que o Japão poderia legitimamente ignorar. O oleiro e a sua esposa, com tanto sonho e tanto empenho, eram um bocado de vida que o Japão haveria de ignorar.

Se mantivesse o jardim por cem passos de fundo e quase duzentos de comprido, continuaria a ver a admiração de quem por ali ia, embora os aldeões comentassem a difícil aceitação de uma reprimenda daquelas feita à natureza. O oleiro reprimia a natureza. Grotesca e sapiente das suas próprias fealdades e belezas, obrigar a floresta à gentileza de um jardim era ofensivo. Encolhiam os ombros. Viam Saburo com a sua cândida esposa, corria a notícia de que fora Itaro quem lhe encomendara o ingrato ofício, os aldeões punham-se de gosto com as flores, eram o sangue ondulante do oleiro. Padecia daquela beleza. Pensavam assim. Que tudo quanto consolava as pessoas era trabalho e um esforço terrível. Consolavam-se então, talvez igualmente ofendendo a floresta, talvez igualmente na mira da fúria de cada deus.

Com todos os medos, sem maior explicação, em algumas noites o oleiro acendia incensos por entre as flores. Caminhava fumegando naquela escuridão, a fazer orações em voz muito baixa, carregando uma lanterna cuidadosamente, que lhe pendia da mão como pequeno sol individual, quase íntimo. Movia-se no jardim que se imiscuía no arvoredo, subia e descia igual a cantar canções de embalar às flores, que eram só isso, quietas na verticalidade dos pés, erguidas sem oferecer mais nada além da delicadeza das evidências. Saburo desaparecia entre o emaranhado e a senhora Fuyu, à porta da casa, deixava de o ver, amedrontada, ansiosa, suplicando aos mortos para que o cuidassem, para que o ajuizassem, para que lho trouxessem rápido e saudável nem que por consideração a um resto de virtude.

Saburo ia e voltava. Igual na esperança. Tonto na esperança. E outra vez questionava o vizinho artesão, a saber se os bichos que matava lhe anunciavam novas prudências e cautelas. Mas Itaro negava. Explicava sempre que a visão da morte da senhora Fuyu era uma intromissão, uma espécie de interferência nos seus assuntos pessoais. Nunca entenderia porque haveria de receber aquelas mensagens. E apenas as entregara por superstição. Talvez fosse melhor informar o oleiro, dizia, para que o destino do oleiro se abstivesse de lhe ficar em mãos. Itaro, torpe, desprezava Saburo e a sua fragilidade amorosa, por a considerar um sentimento tão desadequado à miséria em que viviam.

Uma noite, escutando um sopro fundo, pressentindo muito tenebroso bafo, o oleiro despertou e logo tomou o sabre velho com que mataria. Levantou-se, assegurou-se do sono da mulher, calma nos sonhos com que se entretinha por costume, e saiu. Acendeu a lanterna e perscrutou em redor. Havia nada. Estava uma noite vazia, considerava assim, sem ninguém. O luar acendia o mundo. Viam-se as sombras, mais do que as coisas. O luar era para as sombras. E o oleiro catava pormenores na pouca luz, para se inteirar do sossego. E tudo sossegava. Talvez houvesse escutado por cisma. Por tanto o esperar, ainda que esperasse também a mudança do destino, ouvia bichos zangados aqui e ali. Inventava-os com o medo. Sentou-se e ponderou no medo como fértil. Depois, tomou o incenso e o queimou à porta de casa. Numa prece breve se convenceu de que estaria tudo bem e poderia voltar para junto da senhora Fuyu, longa nos sonhos. Para felicidade de Saburo, a senhora Fuyu estaria longa nos sonhos. Assim, entrou.

A casa exalava, como se algo imaterial lhe fizesse falta. Algo que lhe era intrínseco e de que o lugar se desprovia subitamente.

Nunca entenderia como poderia haver acontecido de o animal estar dentro de casa. Quando buscou noite fora o bulício de algum ser esfaimado, nunca poderia conceber que se ausentara de onde se pusera o animal. Ao sair, julgando caçar o bicho, em verdade abandonara a mulher. O bicho estava dentro de casa. A porta fechada, as madeiras ajustadas sem permitirem a passagem de mais do que uma agulha de pinheiro. No entanto, quando Saburo saiu e cuidadosamente correu de fechada a porta, o inimigo estava fungando sobre o corpo de sua mulher. O assassino que se materializara sem lógica nem compaixão. A senhora Fuyu sobrara. O oleiro a abraçou por sobra e chorou. Depois, pôs-se em gritos que foram trazendo alguns vizinhos e propagando o aviso de que andava um bicho nas casas, era preciso fazer fogo, manter o fogo, proteger imediatamente as pessoas.

Acabou-se com a noite.

Os aldeões atarefaram-se na sobrevivência e na ajuda. Andavam em susto e ao ataque. Se o bicho se demorasse ainda por ali, o matariam para que nunca mais comesse daquelas pessoas.

O oleiro falhara. Agraciado três vezes com a adivinha de Itaro, nem assim se melhorara ao ponto de salvar a esposa. E as pessoas lhe diziam o que ele mesmo lhes contara, que o animal assomara ao interior da casa como fumo. Era um espírito, uma assombração. Mordera a senhora Fuyu com o mando do destino. Se fora de outro modo, o fumo nunca abriria o corpo de ninguém. Era decisão do espírito divino, havia que ser respeitada. A senhora Fuyu teria a celebração que lhe competia, Saburo deveria apaziguar-se com os deuses. Era uma decisão. O oleiro tinha de a aceitar. Era claramente uma decisão.

Uns dias mais tarde, ainda incapaz de se dirigir às flores, o oleiro pendurou o quimono da mulher no espantalho do seu quintal. Espaventava ali a imitar-lhe a companhia.

Dizia: imita ver os pássaros.

Os vizinhos entristeceram-se, mas entendiam que muito na cabeça do oleiro era de menino. O seu amor imaturo prosseguia. A morte era muito pouco para terminar um sentimento tão grande. Algumas pessoas assustavam-se pela veste movida lentamente ao ar. Com o passar do tempo, ganhavam também ternura e lembravam a senhora Fuyu pela graça da sua cordialidade. A terra do oleiro parecia observada para sempre pela mulher. Era uma mulher abundante. Restava.

O oleiro voltou às flores. Dizia: são uma escola. Ensinarão lentamente até os bichos mais casmurros e antigos, os que já só pertencem ao lado da morte. Queria dizer, os de fumo. Aqueles que talvez chegassem sem descer a floresta. Aqueles que se consumavam por dentro do destino de cada um, certamente admitidos ou convidados pela incúria moral ou pela ignorância. Bichos que vinham do próprio sangue.

Voltou às flores e mesmo às noites. Quando levava as preces e o incenso, acordado indefinidamente pelo desnível da encosta, luzindo apenas um pouco na solidão.

Saburo pensava que, se o jardim fosse maior, seria imperdível até aos olhos dos deuses. E os deuses o amariam e, se o amassem, lhe devolveriam a senhora Fuyu ou, ao menos, a fariam feliz até que ele se lhe juntasse.

Ajardinava calado, delicado como sempre, sem confessar que pedia aos mortos que lhe mandassem a mulher. Apenas sabia fazer isso, pedir que lhe devolvessem a irrepetível senhora Fuyu. Em cada gesto, continha essa súplica simples e sincera.

Nunca se ouvira de um amor que ressuscitasse. Mas as melhores lendas contavam de heróis que nunca desistiam. Saburo era assim. Recusava desistir.

A cega menina Matsu

Para Matsu as montanhas podiam fazer promontórios que se suspendessem sobre as aldeias. Braços de pedra que se levantavam entre as nuvens e sombreavam as aldeias. Explicavam-lhe que os cumes demoravam estações inteiras, podiam caminhar primaveras completas para lhes chegar ao cimo, e talvez nem chegassem, porque os homens faziam outra vida diferente da de poder voar. Mas a jovem imaginava o que ouvia segundo o seu próprio tremendismo, por isso julgava que o lugar mais alto das montanhas era uma extremidade de pedra que se alcandorava, coisa de conflitar com as nuvens e os pássaros maiores. Diferente de serem os homens voadores, ela inventava que seriam as montanhas terras capazes de pairar.

A cegueira aumentava as ideias da menina Matsu. Aperfeiçoava-se nas preces, dizia que a oração era uma companhia porque julgava que as coisas do mundo se abeiravam, como se atendessem a um chamado. Ainda que o fizesse em silêncio, a jovem entendia que as palavras lhe colocavam o mundo à mercê. Para agradecer. Era o que mais lhe importava. Manifestar a gratidão.

Durante um tempo, discutia com Itaro, o irmão, acerca da obrigação de dar graças. Achava que ele se adiava nesses cuidados. Atirava para depois a dedicação àquilo que escapava às evidências. E ele apressava-se, de verdade, desculpando-se com o trabalho e com a necessidade de providenciar para os três. A pequena Matsu lhe dizia: fica grato por isso, meu irmão. E ele amava-a do seu jeito menos cordial, expressivo apenas por fúrias incontroláveis quando alguma coisa corria mal ou lhe fugia ao controlo. A cega respondia: devias fazer como eu, estou no extremo da montanha, balanço os pés por sobre Quioto. Vejo até ao último do infinito. E sorria. Como se soubesse o que era o fim do mundo. Itaro dizia: o fim do mundo é outra coisa, irmã.

Imaginava que as casas fossem todas iguais, diferentes só de tamanho. Julgava que os palácios do imperador eram de madeiras rugosas e mal aparadas como o abrigo onde vivia. Quando balançava os pés por sobre Quioto dava conta de uma planície muito direita onde caixas geométricas se pousavam, umas pequenas, as mais abundantes, e outras gigantes, como se o imperador tivesse a altura das árvores. Quanto mede a árvore, perguntava ela. E Itaro respondia: vinte corpos teus. A jovem quase se assustava. Dava graças por as árvores terem pés fortes cravados no chão, sem se deitarem para descansar nem tombarem por um susto qualquer. Se as árvores tivessem ossos, como as pernas de verdade, podiam baralhar-se a sentar por momentos, pousando as copas largas no pouco chão. Haveria de ser terrível o estreito em que a floresta se tornaria se as copas se pousassem no chão, dizia ela. Itaro respondia-lhe: esta árvore tem vinte tamanhos teus e mais de cem pássaros. Se caísse, os pássaros a levariam a voar. A irmã ria. E quanto mede o imperador. E ele dizia: talvez duas vezes eu, talvez três. Nunca vi. Imaginavam ambos o imperador. Um homem robusto e feroz. Rico. Com vestes perfeitas e douradas, um semblante ameaçador, sempre de muito má disposição, como se sofresse das tripas ou tivesse feridas abertas às escondidas. Matsu afirmava: um dia fazes um leque para ele. Vai pedir-to quando perceber que são os mais frescos de todos os leques do Japão. Itaro acreditava exclusivamente nas penas. Sonhava com nada. Tinha pesadelos. E a jovem insistia: quando tomar um leque teu, vai entender como nada sabe esfriar melhor. Os teus leques, irmão, têm o espírito no inverno. São pedaços de neve das montanhas do norte. O artesão protestava: a neve derrete, é só água. Matsu respondia: eu sei. Com o leque que me fizeste perco a sede.

As mentiras da cega eram o modo que tinha de agradecer. Itaro, por seu lado, tolerava aquela delicadeza a custo, tantas vezes falhando, nem saberia a jovem por que razão aquele homem bruto aturava as suas perdas de tempo, o disparatado do seu mundo de fantasia. Itaro revoltava-se contra as fraquezas. Admitia mal que era fraco também, porque se dividia com a incontida vontade de matar. A irmã sentia-lho. Se lhe amaciava as conversas era porque o queria demorar na ideia boa da família. Queria que ele se elucidasse para a gentileza. De algum modo, as palavras eram as flores que Matsu plantava, por semelhança ao que o vizinho Saburo fazia. Pudesse Itaro percorrer as palavras da irmã e resultar num homem apaziguado, incapaz de se violentar, incapaz de escolher matar, incapaz de fugir.

Depois que o irmão saía, a jovem cega descia as madeiras da casa e caminhava nas imediações. Ia a lado nenhum. Ficava pela terra em volta, quase nada além da casa. Mas gostava de se pôr ao sol ameno, escutando o mexido do quimono da senhora Fuyu um pouco adiante. Recordava como lhe costumava dizer: menina Matsu, bom dia feliz para si. E ela respondia: obrigada e para si também, um bom dia feliz. Logo ouvia a voz do oleiro, que era mais lenta no cumprimento. O oleiro dava-lhe as graças e assim se reconheciam. Sabiam que ambos se debatiam com feras eminentes. Predadores que haveriam de destruir tudo o que de mais sagrado tinham. A jovem Matsu percebia o quimono movido no vento e sorria tristemente. Tinha dúvida nenhuma de que, como Saburo, sucumbiria também em breve, ineficaz nas palavras, marcada pelo destino.

A criada Kame gritava: musumé, onde estás tu. E a jovem Matsu respondia: no teu coração. A criada voltava a gritar: e mais onde. Matsu respondia: ao sol. Estou aqui encostada ao sol. Era como se o sol se estendesse até tocar o corpo ao abandono da jovem. A criada juntava-se-lhe e culpava-se de parar os trabalhos por um instante. Por vezes, escolhiam a fome em troca de um mínimo de sossego. A felicidade podia acontecer num ínfimo instante, ainda que a fome se mantivesse e até a sentença para sofrer. O sofrimento nunca impediria alguém de ser feliz.

A menina, habitante sobretudo dos sonhos, disse: havíamos de ter um jardim seco. Um de pedras que fizesse o ondulado do mar. Tão bem alinhado que fosse um desenho perfeito por onde poderíamos percorrer os dedos. A criada perguntou: seco. A cega respondeu: teríamos sempre lágrimas para o molhar. E sorriu.

A criada, senhora Kame

A miséria de Itaro falhava em justificar o sustento de uma criada, e tantas vezes a enxotara, cruel nas acusações e muito diminuído nos afectos, por mais que isso desonrasse os seus pais.

A mulher ficara de esmola no canto da casa, primeiro enrolada sem nada, só pousada no chão de pés e nádegas. Com o tempo, e por brio do trabalho, mereceu alguma afeição e começou a dizer. Já tinha opinião ou valia por certo aviso e discernimento, sabia cozinhar, trazia pequenas colheitas, plantava e observava diversas ciências que se ajeitavam aos interesses dos mortos pais de Itaro. Assim se pôs de pessoa anexa à família. Era fiel, metida nos seus trabalhos sem se interromper, talvez pensando escapulir em algum momento, quando voltasse à coragem de prosseguir à deriva, tão sem sentido nem anúncio como quando chegara.

Foi o nascimento da menina que mudou o ímpeto da criada. Mais obrigada à casa, ficou vendo a criança medrar. Os pais arredados, confusos de susto e alguma vergonha, permanecia a senhora Kame a limpar a criança, embalando-a e afugentando-lhe os mosquitos. Consoante crescia Matsu, se amarrava igualmente a criada. Fundeava na casa por tudo quanto lhe pertencia e escapava ao óbvio do corpo. Estou no enterrado desta casa, dizia ela. Para explicar que ser quem era já pressupunha mais raiz do que os troncos a servir de alicerces. Já tinha tanta pertença quanto a pedra despontando entre as madeiras do chão. Era dali. Iria a lugar nenhum porque nunca se levaria por completo. Nunca iria.

Por ter chegado àquelas pessoas avulsa e sem passado, a senhora Kame era um bicho domesticado. Viam-na com o carinho que se dava aos gatos enamorados por seus donos, ainda que a mulher pudesse falar e expressar muita valentia. Percebiam-lhe a fidelidade e era o suficiente para a respeitarem e lhe manterem os tratos cordiais. No entanto, tinha uma impunidade perigosa, pensavam assim os vizinhos. Andava sem rituais por seus mortos, cumpria as preces sem os devidos santuários, sem estar na terra deles, atentando em como a morte lhes seria um rigor moral e dedicado. Atentando em como a morte lhes acontecia honradamente. A criada carpia as preces como uma pessoa longínqua. Viam-na assim. Uma mulher longínqua. Os seus antepassados estariam metidos num santuário qualquer, que ela apenas visitava nas ideias. E sabiam todos o quanto as ideias eram a conquista dos sábios, nunca das pobres criadas, por mais talentosas ou apaixonadas que pudessem ser.

A jovem Matsu lhe perguntava: senhora Kame, mulher longínqua, em que está a pensar. E a criada respondia: em nada. Só estou a ver. A cega outra vez perguntava: ver é o suficiente. E a criada respondia: isso é difícil. Serviam-se de chá. A mulher fugia, depois, aos seus trabalhos. As mordomias piedosas com a cega atrasavam-lhe as incumbências. A cegueira era uma lentidão na vida das pessoas.

Matsu queria saber tudo acerca da criada, que crescera a amar como uma mãe a mais. Uma mãe de sorte. Mas a senhora Kame contava que havia pouco para saber, e o que contasse era triste. De tristezas estavam ricos. Precisavam de sol. E outra vez insistia, que seria boa a chegada da primavera. Conversavam uma com a outra entre sustos de que Itaro as repreendesse, porque perdiam-se de ter as coisas prontas. A jovem, então, começava as preces, que assumia enquanto sua obrigação, e deixava que a mulher se organizasse. A criada, brincando e por carinho, gritava: a mulher longínqua vai à água. A menina respondia: sim. Obrigada. A menina pensava: a mãe perto. A senhora Kame era a mãe perto. De distante tinha só o segredo. O seu afecto era uma das mais gratas presenças da vida. Pensava que, por definição, todos os segredos eram modos de lonjura. Escondiam-se das evidências e eram modos de lonjura.

Carregava a água e fervia os legumes. Escurecia a passos largos. O artesão tardava nada a chegar e trazia invariavelmente um buraco sem fim no estômago. A cega lhe dizia: cuidado que me tombas para dentro do teu peito. Itaro, cada vez mais exausto e frustrado, alimentando o medo que lhe conferiam as estranhas visões, sorria menos. Era severo. Praticava as refeições por disciplina do corpo. Abdicava de qualquer sensação de graça e de convívio. Ordenava à criada que abreviasse o serviço. Punha-se à luz do fogo a pintar os seus leques. Os olhos muito juntos ao bico do pincel para ver melhor. E temiam todos. O artesão via pior. Talvez fossem os nervos turvando o simples das imagens. Como se lhe criassem uma complexidade desnecessária. Talvez fosse verdade que, como costumava na família, cegaria para habitar também a escuridão. Uma escuridão só sua. Porque os cegos se tinham impedidos de coincidir. Se Itaro deixasse de ver, inventaria os seus próprios promontórios para aquilo que quisesse muito imaginar. Estaria, como pensava de Matsu, sempre só.

Naquela noite, para convidar o irmão à ternura, a menina pediu o chá à criada. Tendo a criada servido a taça da cega e levado até ela a sua mão, Matsu respondeu: obrigada, mãe perto. E disse: é o contrário de uma qualquer mulher longínqua. A criada comoveu-se imediatamente e se tornou para o fogo, a fazer de conta que ainda aquecia alguma coisa que importava mexer. Por haver feito isso, falhou de reparar que também Itaro se afogou nos olhos. Metido num silêncio que, afinal, apenas a cega conseguiu entender na perfeição. Matsu sorriu. Havia plantado palavras no seu discursivo jardim. A fera seria incapaz de o atravessar ignorando a beleza. Por isso, a fera acalmou.

Os três se aquietaram como se ouvissem apenas o silêncio e como lhes era confortável esse sem susto. O artesão mais trabalhou à luz do fogo e as duas mulheres calaram-se. Esperaram pelo sono para se mudarem para o dia seguinte. Havia sempre esperança na travessia nocturna. Cada deus revia a criação no quieto da noite. Acender os dias era sempre a possibilidade de uma nova criação. Era importante dormir com esperança.

Por vezes, Itaro lembrava o dia em que, furioso, levara a criada até ao vinco de água para ali a cair. Envergonhava-se. A sua esperança, para ser suportável, tinha muito de prévia penitência. O discernimento da senhora Kame contrastava com o seu em pequenas coisas. O artesão viu a mulher no íngreme fosso e imediatamente caiu também. Buscou a criada igualissimamente aflito, imaturo nas razões.

Afogar a menina Matsu

Os pais ponderaram afogar a cabeça de Matsu no riacho. Permitir que a criança se libertasse de imediato da clausura do seu corpo. Estaria emanada ao vento de uma boa tarde, à luz intensa e quente. Era melhor que o fizessem antes que desenvolvesse algum tipo de consciência, ensinada para alguma palavra ou súplica. Antes do carinho ou do reconhecimento. Adiavam constantemente o gesto mas tinham-no decidido. Ponderavam a coragem, estavam muito justos.

Haveriam de lhe afogar a cabeça e, pequena como era, seria insuficiente para estrebuchar ou gesticular demasiado. Soltaria umas gotas de ar, balões pequenos que só se veriam na água, e depois um balão maior que lhe viria do fundo do corpo, a colher o vento espiritual completo, desde os dedos dos pés até ao fundo da cabeça. Na tarde boa que escolheriam, a menina pairaria um bocado até se sentir gratamente livre e pronta para partir. Os pais seriam poupados à sua humilhação e ao seu desperdício. Aceitariam por memória a sensatez de prosseguir com uma família viável, produtora. Depois, deitá-la-iam a um fogo feito de recomendações, igual a enfeitarem as chamas, dotando-as da beleza possível. Haveriam de enfeitar o fogo com a menina, e a menina partindo seria o adorno mais terno e delicado. Uma oferenda preciosa ao espírito divino.

Na tarde em que tomaram Matsu e entraram pela floresta, Itaro seguiu-os, rapaz curioso, desobediente. À revelia do que lhe costumavam ordenar, entrava muito na floresta, descobrira já o percurso antigo que ninguém sabia onde terminava, conhecia os cordames que os suicidas atavam aos troncos para se orientarem no regresso, caso se arrependessem da vontade de morrer. Descobrira árvores tombadas onde bichos escondidos produziam o mais estranho dos ruídos. Gritava: sou da mais feroz casta de samurais. Julgava assustar as feras com tão terrível afirmação. Eu sou da mais terrível casta dos mais terríveis samurais. Levantava um braço e corria aos saltos pelo atropelado chão a imaginar um sabre impiedoso que mataria sem hesitar os inimigos amedrontados.

Itaro seguiu os pais e estranhou que banhassem a irmã na água em fuga do riacho. O declive transformava o curso num riacho à pressa, muito acidentado, a coarse por pedras pontiagudas que lhe pareciam o esqueleto exposto do leito. E os pais molharam a menina e a seguraram, conversavam entre si alguma coisa inaudível, muito breves, muito juntos, e a mulher quis que o homem a tomasse e assim ele o fez. Demorou. Nesse instante, Itaro entendeu que banhar a criança daquele jeito era para a matar. Teria sido o seu ímpeto de menino que padeceu de uma piedade incontrolável. A irmã sem serventia era um começo, pressentiu que ainda faltava saber de o quê. Poderia alar de magia como as borboletas faziam às larvas. Todos os bebés eram larvares, seres por inventar asas. Por semelhança às canas de bambu e aos leques, a menina haveria de arranjar maneira de parecer voar. Poderia ter por olhos duas pedras translúcidas que transparecessem os interiores dos corpos, igual ao que acontecia nas lendárias louças dos palácios imperiais. Talvez visse através de um amadurecimento dos olhos. Os seus olhos poderiam ser como frutos que só se tornariam maduros com o fim do tempo quente. Seriam olhos em mutação. Era preciso esperar. Aqueles que nasciam obrigavam a esperar.

O canto das cigarras era ensurdecedor. Itaro para sempre lembraria o primeiro grito que dera, de longe, já galgando em corrida a sombria floresta. Ferira-se, igual a estilhaçar o barro da garganta. No entanto, na espessura do canto das cigarras, a voz de Itaro inexistiu absolutamente para os seus pais, que se baixaram um pouco, prosseguindo. Quando o rapaz se abeirou, o corpo de Matsu nas mãos do pai era outra pedra cortando a água. Uma pedra solta que o homem procurava manter quieta. E Itaro novamente gritou. Disse: Matsu, irmã. A menina foi uma pedra que subiu de imediato ao peito do pai, como se lhe pertencesse, como se lhe pertencesse dentro, tão junto subiu, tão protegida subitamente. E a mãe se desatou aos gritos, e sempre Itaro também, enquanto descia ao leito do riacho e se molhava. O pai, calado, já endireitara as costas para regressar. Aquela era uma pedra que carregariam a vida inteira. Viva. Só então Itaro chorou. Enquanto chorava, teve a impressão de se fazer silêncio. As cigarras todas prestavam atenção.

A mãe dizia: musuko. E o filho, no seu aflito pranto, respondia: sou da mais terrível casta dos mais terríveis samurais.

Os olhos de Matsu nunca haveriam de amadurecer. Estariam para sempre vazios de imagens, vazios de luz. Contudo, por oposto, ela mesma era um lugar de muita coisa. Chegava a afirmar que sabia o que seria a luz por colocar a mão nas madeiras que aqueciam ao sol. Dizia: é uma espécie de olhar sobre nós. A luz é uma espécie de olhar sobre nós. No entanto, incapaz de ver por dentro. Por isso, quando é intensa, aquece pela frustração de lhe ser impossível entrar nas pessoas. Entra por temperatura. Explicava assim, como se quisesse fazer crer que ver era coisa pouca de que a felicidade poderia abdicar.

Matsu crescera sentada a um canto e sem nunca ouvir a sua história. Itaro nunca lha contaria. Por diferença com tantas outras crianças em corpos de desafio, procedera. Davam-lhe o arroz para a mão, ensinaram-lhe o gesto, e a repetição significava a sobrevivência. Itaro muito lho dissera: faz assim. E lhe conduzia o corpo para que adequasse a escuridão a um ofício qualquer. Surpreenderam-se quando Matsu elaborou palavras, porque julgavam que talvez estivesse destituída de discernimento. Alegraram-se e entristeceram-se quando se depararam com o seu pensamento. A menina era lúcida o suficiente para entender a própria desgraça. Faltava que alguém lhe continuasse levando à mão o arroz. E assim se fazia, procurando diminuir o resto da sua presença, para que resultasse mais simples. Para que as questões da vida comum se exceptuassem de lhe importar e ela tivesse para sempre apenas um pouco de idade e muita graça.

Itaro, um dia, lhe contou: eras pequenina quando nasceste. Uma coisinha enrolada que se metia nos braços à espera que deitasse asas. E ela perguntou: de que cor. E ele respondeu: da cor das pessoas mas a mudar para borboleta. A cega disse: és um generoso homem a mentir. Perguntei de que cor seriam as asas. Eu sei que sou como as pessoas. Sou igual às pessoas. E Itaro respondeu: fazes parte das pessoas diferentes.

Ficavam quietos a ouvir-se.

Por segredo, Itaro era segundo pai de Matsu. Dera-lhe a vida por resto de candura.

A ideia intrusa

Depois da morte da senhora Fuyu, Saburo, o oleiro, permanecia como que distraído à porta de casa. De sabre pendendo na mão, a furar absorto um pouco da madeira do soalho, suspendia-se de afazeres. Alterava-se apenas quando Itaro passava. À presença do artesão, Saburo respirava mais fundo, como a cansar-se sem causa, ou por causa de algo que lhe vinha apenas das ideias. Nas ideias o oleiro cansava-se, sinistramente.

Acalmava-se em tempo lento. O quimono da sua senhora a bulir e ele tantas vezes se sentava reparando em cada ínfimo gesto. Mimava-se a contemplar a aparência louca de que a sua esposa ainda estava presente. Pensavam todos que o oleiro aguardava que a veste se expressasse sem equívocos, comunicante e plena de consciência de um amor que se abreviara. Como se o pudesse beijar ou simplesmente escutar.

Ainda distraído, quase abraçava o sabre. Ficava no entardecer um guerreiro que se aconselhava com sua própria arma. Descia sobre os joelhos e era do tamanho do sabre e igualmente servia para matar.

Os amigos o instigavam. Fugazmente se abeiravam num cumprimento. Olhavam também o quimono e lembravam-se de como ficava cintilante no corpo da senhora Fuyu em comemorações importantes. Às vezes, bebiam sake e calavam-se cúmplices. Depois, iam-se embora. O oleiro guardava o sabre.

Uma vez, estranhamente, Saburo entrou a lâmina no vão do quimono. Parecia matar ali de dentro algum intruso, como uma ideia intrusa, porque se via nada. O tecido limpo escorria absorto na sua matéria inconsciente, sem ninguém. Mas ele garantia que nada se alojaria ali, a usurpar o lugar preparado para o regresso da sua mulher. A senhora Kame, por compaixão, deitava os olhos para o chão de modo a que o vizinho se tivesse em privacidade no descontrolo daquela dor.

Os honoráveis suicidas

Os suicidas atavam os cordames às primeiras árvores e adentravam a intuitiva floresta. A sapiência do caos haveria de os elucidar na mais profunda e decisiva meditação.
Aqueles que queriam morrer chegavam como pessoas a mudar de interior. Carregando pequenos pertences e agasalhos, aparecendo na curva do caminho impressionados com as flores de Saburo. Dizia-se que alguns suicidas se demoviam da morte só por contemplarem tal jardim. Era por provar. Mas pensava-se que à beleza das flores nem só os bichos se amansavam como também as pessoas se diminuíam das tristezas. Estava provado.
Subiam a encosta, árvores acima, e espiavam longamente a floresta indecifrável. O labirinto gigante do Japão que só poderia ser desvendado se alguém atingisse o topo, esse promontório para pássaros e gente nenhuma. Caminhavam o mato para se misturarem na natureza deglutindo tudo. Agarrados sempre aos cordames, voltariam por arrependimento ou melhor decisão.
Muitos subsistiam indefinidamente à custa de cursos de água e vegetais saudáveis que reconheciam. Outros pereciam mais depressa, também atacados pelos dentados bichos que se desimportavam com meditações espirituais e tinham nenhuma dúvida acerca da fome.

Os suicidas, pendurados em forcas, iguais a braços pendulares, profundamente verticais, que as árvores inventassem, eram frutos anómalos. Enormes frutos que os corvos paulatinamente debicavam e por onde as serpentes desciam.

Quando acontecia de se convencerem da vida, tomavam as suas coisas e os seus lixos e percorriam o mato pelo cordame novamente, até à árvore na encosta que lhes oferecia o esconderijo das casas. Ressurgiam, sorriam às flores de Saburo, e volviam para a infinidade do Japão com nova esperança. Os aldeões os felicitavam, sem intromissão. Alguns mendigavam água fresca, uma sopa, um pouco de arroz. Esfaimavam sempre. Pareciam salvar-se da morte só pela alegria de, subitamente, quererem viver. O oleiro prestava atenção a isso, ao quanto a vontade de viver lhes era meio alimento, porque os via num fio de carne. Estreitos e estragados. Sem idade para passarem por velhos, eram outra coisa. Ressurectos. Saburo os via e cumprimentava. Estendia arroz, falava das flores, e julgava-os ressurectos. Como talvez a sua senhora Fuyu pudesse voltar um dia. Ainda que magra, depois de velha, outra coisa, cansada, ele sabia que ela chegaria entusiasmada, absolutamente convencida de querer viver. E isso metade a sustentaria. E ele a amaria igualmente. Sem hesitar nem se conter. Saburo espiava o regresso dos suicidas inconfessavelmente à espera de ver a senhora Fuyu baixando a montanha, sorrindo a pedir um pouco de arroz e água fresca. Sorrindo, como sempre.

Contavam alguns que ao centro da floresta havia uma extensão de cerejeiras que apenas sabiam estar em flor. Cerejeiras puras, perfeitas, que se mantinham numa euforia contínua. As árvores eufóricas, diziam assim. Podia ser uma ilusão, coisa da fome e da sede, coisa do cansaço e do medo, coisa de andar perto da morte e conseguir voltar. Os aldeões pressupunham que um dos rostos da morte seria a extensa terra das cerejeiras em flor.

Um rosto bruxuleando. Pensavam. A morte ondulava ao vento.

À comunidade pequena orgulhava que se pusessem a caminho daquela montanha os que queriam morrer, vindos de toda a grande região de Quioto. Havia uma expectativa de salvação embora, inconfessável, se espalhasse o medo da contaminação da morte, que restaria ao dependuro no arvoredo, mais longe ou mais perto, libertando ao vento o jeito dos corpos, o odor morto. Em alguns temporais, atormentadas as casas e as plantações, pairava uma suspeita lúgubre na fúria da chuva e do vento por distribuírem entre os vivos a memória desesperada dos que se haviam matado. Falava-se, havia muito, que o santuário mandaria para aquela aldeia um sábio que aprofundaria as escolhas dos suicidas. Um sábio monge que fosse mágico o suficiente para atenuar os interiores mal explicados das pessoas e reencaminhar os seus desejos para os propósitos mais belos da vida. Ou talvez o sábio fosse tão eufórico quanto as árvores da morte, satisfeito com a coragem antiga dos que se entregavam à matéria da natureza.

Dizia-se que era um sábio que colhia o esplendor daquilo que sabiam os suicidas. Aqueles que queriam morrer eram afeiçoados à natureza, certamente exalando no ar o conhecimento supremo por que os demais tanto aguardavam sem sucesso. Um homem assim faria da presença da morte uma manifestação limpa, sem temor. Apenas a honrada coragem de regressar à natureza e ao domínio dos deuses. Seria um interlocutor entre a virtude e o erro.

O oleiro Saburo colhia e espalhava notícias desse sábio. Ansioso, julgava que o convívio com um homem assim haveria de derramar sobre as dores de todos uma carícia redentora. Mas ele tardava. Já se lhe construía a casa grande, tão ao pé, e já se melhoravam os temores morais. Os aldeões abrilhantavam-se de carácter, como se pudessem remir os passados e aparecer limpos no momento em que o julgador espiritual chegasse. O oleiro era sem medo. A viuvez trouxera-lhe a extrema dignidade, julgava assim. E os suicidas o confortavam também. Às vezes pernoitavam. Tagarelavam subitamente cheios de planos e desejos, faziam promessas grandes e partiam maravilhados com a hospitalidade humilde daquele homem. Diziam: Saburo san, obrigado. Morriam ou viviam, eram cordiais. Diziam: mil cerejeiras. Eram mil cerejeiras. Ele respondia: sem chuva. Apenas sol como se de ali nunca se ausentasse o sol. A sua origem. Afirmava: o Japão é generoso. Os suicidas comoviam-se. Agradeciam aos deuses o tempo. Ainda terem tempo. Tornavam-se impressionantes construtores.

Falhavam em reparar que o anfitrião quase se escusava a dormir. Auscultava a noite à espera de surpreender cada deus e cada demónio.

O oleiro julgava que as noites aconteciam como uma ameaça. Ameaçavam os incautos. Os ingénuos. Haveriam de, sem aviso, voltar a atacar. Deparava-se com a escuridão e redobrava os sentidos. Era de guarda.

O detalhe

Outra vez Itaro desfez um besouro no chão e o observou. Melhor o desfez, correndo a pedra para trás e para diante a estender a cor que a mínima humidade do bicho deitava. Bateu com a pedra, e havia uma raiva crescente, uma incontrolável vontade de ferir algo que se ausentava da realidade tangível do mundo. A senhora Kame lhe tomou o pulso, para que aceitasse a medida da morte. O besouro nunca morreria mais do que já morrera, e as ideias nunca terminariam à força de um golpe, por mais desaustinado que fosse desferido.

Itaro observou. A criada aguardava. Suspensa de ansiedade, a pedido do artesão ali se pôs. Saberiam, por sorte ou por azar, o que se adivinhava no sacrifício do besouro. Que mensagem traria ao homem. O que lhe preveria de trágico, porque nunca os bichos mortos lhe contavam alegrias. Apenas conheciam tristezas. Itaro aprofundou-se no rasto largado pela madeira. Baixou os olhos, intenso, alumiado pelo fogo, e disse: cegarei de igual modo.

E também disse: é fundamental que prepare a fome. A arte da fome.

A criada caiu em prantos e o artesão prostrou-se pensando. Deixada na sua atónita consciência ficara a expressão a arte da fome. Entendera claramente que lhe competia maturar a miséria. Sem a função dos olhos perderia o ofício dos leques. Seria impossível pintar. A criada jurou segredar o azar. Importava que a menina ignorasse a premonição. A jovem cega valeria para nada na busca de uma solução. Era bom que seguisse criança, sem outros fardos senão os de hábito. E a criada afirmou que sim. Prometia segredar e só rodear a jovem cega com a alegria de que fosse capaz. Como sempre.

O artesão piorava. Ao contrário de se seduzir pelas belezas e pela expectativa de alguma paz, ele amargurava seguro de que a cegueira o deitaria ao poço constrangedor em que habitavam os destituídos de ver. Quando a irmã entrou, desconfiada do silêncio na casa, o artesão disse nada. Inclinado sobre os leques, apressava-se a trabalhar. Estava sem soluções. Trabalhar e deixar de trabalhar, subitamente, era o mesmo anúncio de desgraça. Se agarrara os leques fora pela vergonha de confrontar a ingénua irmã com a sua natureza imprestável. Resistia por falta de coragem para assumir que nada valeria a pena. E a jovem perguntou: o que tem, senhora Kame. O que tem. E ela respondeu: sinto os cotovelos gelados. A mesma velhice nos ossos de sempre. Matsu sentou-se e soube que Itaro lhe contara algo do futuro. Por costume, o irmão só sabia do futuro a desgraça. Calou-se. Podia nada. Era um fardo nas obrigações dos outros dois. Tinha vergonha. Perguntou, depois: o que tens, irmão, o que tens.

O artesão resmungava pequenas palavras. Estava apressado com o leque que tinha em mãos. Fazia de conta que acertava a espessura das varetas. Desbastava o bambu em fúria. Sentia que raspava as próprias ideias na lâmina afiada. E as ideias tombavam pelo chão como farpas, inúteis. Porque nenhuma lhe dava solução ou um pouco de sossego.

Para se iludir de algum alívio, Matsu começou a contar histórias tontas acerca da vizinhança. Escutava conversas a quem se dirigia pelo caminho. Em certas ocasiões desciam dos seus percursos e iam cumprimentá-la, elogiando-lhe os modos recatados ao sol. E a jovem reconhecia as vozes e os odores, a passada e o ruído até dos melhores e dos piores tecidos. Pelo som, Matsu distinguia as pessoas e as memorizava sem confusão. Por simpatia, as poucas pessoas da comunidade gostavam de alegrar a jovem cega, contando-lhe apenas peripécias engraçadas, aventuras e espantos cómicos que serviam de ajuda para o carrego da escuridão. À noite, sem ignorar o terrível da vida mas querendo também alegrar o irmão e a sua mãe perto, Matsu falava, tantas vezes inventando versões próprias para os boatos mais simples, conferindo-lhes maior grandeza e maior interesse. Lentamente, por afecto, o artesão Itaro e a senhora Kame se entregavam ao contentamento daquele instante. Podiam contestar a difícil verosimilhança dos relatos, podiam acrescentar dados que eles mesmos haviam escutado em descansos breves do trabalho, e podiam tão-só rir. Estavam vivos e juntos, pensavam. Estavam vivos e juntos. A felicidade poderia ser aquilo. Matsu, por incapacidade de se conter, dizia isso mesmo: a felicidade está na atenção a um detalhe. Como se o resto se ausentasse para admitir a força de um instante perfeito.

    Itaro detalhava: prostrar-se no chão junto ao castelo de Nijó, o mais cerca do palácio de Ninomaru que conseguisse. O rosto caído. A honra inteira na palma da mão. Pedir. Pedir a cada um como se explicasse a cada um que o espírito divino lhe escolhera aquela situação. O artesão começava a contar a míngua e a arte de mendigar. Lembrava-se, os mendigos eram teatrais. Estavam longe de mentir. Ilustravam o desespero com talento.

Matar

A memória do pai o censurava na vontade de matar. Ainda assim, calcava propositadamente os bichos que lhe cruzavam o caminho. Era de um impiedoso carácter. Temia apenas os fortes e fortalecia também com ser sem perdão para essas presas ridículas que fazia a cada dia.

Nos seus pesadelos, Itaro decapitava os inimigos com o seu sabre a refulgir no ar. Apartava as cabeças dos corpos, via-as sobrando pelo chão como moedas grandes, em sangue. Um dinheiro que lhe pagava o ânimo do orgulho. Itaro matava noites inteiras, incansável, a vociferar e movendo-se. Habituavam-se as duas mulheres aos seus atribulados sonos. E abstinham-se de interferir. Sabiam que vinha de batalhas ferozes e demoraria um pouco a distinguir o gesto delas do gesto inimigo de algum samurai. As noites do artesão eram instáveis e em agonias, porque nunca passava incólume.

O próprio imperador, à estupefacta surpresa de Itaro, num certo momento lhe entrava o sabre certeiro nos olhos e troando a voz lhe dizia: para dentro da escuridão. Itaro cegava.

O artesão julgava que as mulheres dormindo eram corpos abandonados. A noite acontecia-lhes profundamente, por um sossego invejável, sem sobressalto ou movimento. Chegava a pensar que eram mulheres vazias, sem ninguém. Dormindo verdadeiramente no lugar da morte e, por mistério, conhecedoras da capacidade de ressuscitar. Itaro despertava em pânico, talvez falasse consigo mesmo, tomava-se nas próprias mãos e percebia como sangrava. Durante os pesadelos, os sabres inimigos eram os dedos do próprio artesão, que lhe esgravatavam os olhos para ilusória defesa. E tantas vezes se convencia de estar corajosamente retirando as lâminas do rosto, ameaçando ainda o inimigo, valente para ser atingido e sobreviver. Ao acordar, Itaro habitualmente sangrava. Frustrado sem glória nem esperança alguma. Se deveras morresse em combate, defendendo as honras que imaginava defender, o seu espírito se libertaria no universo divino. Por contrário, devolvido da inutilidade dos sonhos, o homem era reposto na ultrajante situação a que a miséria o condenava.

Alumiava a lanterna, refrescava o rosto. Limpava-se breve. Voltava a deitar-se talvez para fitar o vago escuro até à primeira impressão da madrugada. Fitava o vago escuro a intuir a impotência. Sempre mais impotente.

O pai lhe diria que a graça dos sopros divinos devia ser acatada com humildade e sem a tenebrosa busca de matar os bichos. Aconselhava o filho a viver sem tanta adivinha e sem ansiedade. Salvara a bom tempo o destino da irmã, haveria de ser um salvador por pura esperteza e atenção. O pai lhe dizia que a vida se melhorava pela inteligência. A adivinha devia ser um alerta encontrado por dádiva, nunca pela morte de um ser a que o Japão tivesse querido dar existência. Sentavam-se brevemente e o pai lhe dizia: se te esqueceres de gratificar a vida e honrar a morte, eu mesmo te assombrarei aos pontapés no cu. Itaro calava-se observando a pouca abundância. Calava-se e sentia que falharia completamente porque a pobreza corrompia as mais pacientes intenções.

Agora, incapaz de continuar a dormir, o artesão lembrava-se do regresso a casa naquele dia. Parara brevemente a carroça no início do jardim de Saburo e contemplara como um bengalim se debatia no chão, entre as flores, colorido igual fosse umas pétalas caídas. Teria sido acometido de alguma maleita, uma doença pequena que coubesse no seu mínimo corpo. Piava infimamente, tão delicado quanto desamparado. As flores buliam ocasionalmente de cada vez que se pretendia endireitar, talvez segurar de pés, caminhar. Perdera a organização do corpo. Restava entre as flores como um bicho perdido de sua lógica, sem o nico de pensamento que a natureza lhe quisera dar. Itaro melhor espreitou, muito perto e sem sequer atentar no facto de estar só ou acompanhado, e calcou o pássaro que se finou de som e estertor no exacto momento. A terra amolecida disfarçou o corpo espremendo. Itaro teve a sensação de andar por sobre um campo molhado. As flores coroavam a perna do artesão, e ele escusava-se a olhar. Demorava para que a morte continuasse. Demorava para que houvesse nenhuma hipótese de precisar de calcar outra vez. E depois se tomou da carroça e esperou. Ficara o silêncio habitual do jardim. Estava a noite a pôr-se densa e normal.

Saburo ali o viu. Entreolharam-se, cumprimentaram-se sem palavra. Perceberam como se afastaram tensamente. E o oleiro foi lamentar o pássaro. Juntou-lhe uma terra por cima. Desejou que o belo bengalim morto lhe perdoasse as flores por adornarem o seu sofrimento com beleza ao invés de uma clara consternação. Talvez, ainda que belas, algumas flores fossem tristes. Podiam acusar, no declínio do sol, um jeito pesaroso que sofresse de algum modo. O oleiro melhor juntou a terra por sobre o pássaro, desceu a recolher o quimono da senhora Fuyu como se lhe pousasse o próprio vento nos braços, e logo se meteu em casa.

O artesão pensava no vizinho oleiro como um incauto sentimental. Por paixões várias, agia igual a uma criança imbecil. Até os pratos e as taças que cozia enfeitava absurdamente, a infligir à pureza do barro a utopia ridícula de ser uma fantasia. Aceitava mal que o barro fosse só o que era. Aliás, nunca aceitaria a natureza de quase nada. Implicava-se com as coisas do mundo e queria ser uma autoridade para os aspectos e para os significados do que o rodeava. Por isso, Itaro o rejeitava. Era fraco. Suspirava pelos mortos sem os honrar porque perdia a robustez. Era mais velho pela covardia e pela opção por ser um sonhador do que pela idade. Itaro, se pudesse, gostaria de o ver morto. Depois, pensava, se pudesse, gostaria de o matar.

Por seu lado, Saburo, sentimental, pensava que, se pudesse, gostaria de matar o artesão. Depois, ponderava e pensava que gostaria de o ver morto.

O quimono morto da morta senhora Fuyu

A menina Matsu lhe dizia que o quimono da senhora Fuyu era tumular. Devia ser pensado como santuário inteiro de uma pessoa querida. Era um túmulo de vento, talvez perfeito. Ainda que se assemelhasse a brincar com os pássaros, era sagrado para o imaterial da senhora Fuyu. O espírito, aparentado e certamente em visita, ali soprava também.

Itaro desceu o campo até onde se prostrava o velho tronco de carvalho e, pelo anúncio da primavera, as violetas despontavam. Na permissão do bom tempo era comum levar a irmã até às violetas. Escutavam a água a correr e conversavam sobre pequenas ideias para se sentirem bem. Itaro passava vista às canas de bambu. Deitava-lhes a mão. Maturara por anos a ciência da escolha. Era fundamental que encontrasse as mais perfeitas, seda vertical, nós delicados, resistentes, secas. A própria Matsu lhes corria os dedos e repetia o ensinamento do pai: seda vertical. Pensava nas canas de bambu como belíssimas. Fazia apenas aquela quietude e a conversa, mas levava a ideia de ajudar o irmão. Tornava-se cuidadosa e muito atenta. Os leques eram de sentir. A menina cega sentia. E perguntava: que te parecem as violetas. E ele respondia que despontavam e eram perfeitas. As violetas desconheciam erro. Eram flores ainda mais belas por se inventarem a elas mesmas, selvagens. A jovem sabia que o irmão feria o sonho de Saburo, dizia: Saburo san é um bom homem. Era como se lhe pedisse paciência para as personalidades sensíveis, onde ela se via incluída. Gostar de Saburo era tão elementar quanto gostar dela mesma. E Itaro ia e vinha, muito rigoroso com as canas, talvez a escolher demasiadas, porque se propunha a dobrar o trabalho. À jovem dissera que duplicaria as receitas para se garantirem melhor no próximo inverno. Mas ela sabia que estavam acossados com o destino. Itaro trabalharia mais por se colocar em fuga daquilo que lhe pertencia às ideias. E ela outra vez perguntou: vais pintar violetas assim. Parecem frescas como se fossem água erguida. Parecem mais bonitas do que nunca. E o artesão dizia que sim. Que pintaria as violetas exactamente como estavam ali. Seriam leques de matar a sede, como a cega tantas vezes repetia. Matariam a sede de tanto saberem refrescar.

Como estão as criptomérias. Perguntava a menina. O irmão lhe dizia: sempre bem. O Japão as protege.

Deram uns passos para casa e logo Itaro abrandou. Carregado de canas e subitamente confuso, como a tomar uma decisão complexa, pediu à irmã que aguardasse. Esquecera a lâmina, disse. Ia buscá-la caída pelo chão. E, aos passos largos para trás, Itaro abeirou-se do tronco caído e deparou-se com a exuberante manifestação das violetas. Então, espezinhou-as. Sem se libertar das canas, sem demasiado se demorar, pôs-lhes os pés a cortar-lhes os caules, a encharcá-las na sua própria humidade, numa espécie de resto lacustre que formou uma água morta. A água morta das violetas de Matsu que ficava no colo do tronco. Algum bicho com sede talvez julgasse poder dali beber. O artesão pensou que nunca mais veria aquelas flores nascerem abundantes e belas no tronco caído em decomposição.

Encontrou a irmã e disse que já podiam seguir. Ela tomou-lhe uma ponta da veste e assim se manteve no carreiro. Era estreito. De um lado se levantava a plantação como muro verde, do outro o fosso por onde traziam água para as regas. Tinham de caminhar cuidadosamente, tão lineares quanto possível. A jovem cega perguntava: de que tamanho é o fosso. E o irmão respondia: dois corpos teus. E perguntava: quantas canas de bambu viste. E ele respondia: um milhão. E quantas árvores vês na montanha. E ele respondia: cinco milhões. E ela dizia: que mentiroso. Ninguém nunca contou cinco milhões de nada.

Chegados a casa, Itaro depositou as canas no chão cuidadosamente. Eram parte do seu ouro. A criada Kame veio acudir e escutava as brincadeiras de Matsu, que falava muito de números, contagens gigantes que provavam a imensidão do Japão. Quando o artesão se propôs entrar, escolhidas as três canas que haveria de trabalhar, a cega lhe conseguiu tomar o braço e dizer: para mim é outra coisa, escuta, o vento a passar pelo quimono da senhora Fuyu, hoje, tem um jeito diferente. Uma alegria. Sentes, irmão. Há uma alegria naquele bocado de morte. Para Itaro, aquele bocado de tecido ondulando suavemente no espantalho era uma coisa burra, destituída de inteligência. Mais valia que se desse a alguma mulher que o pudesse ainda usar. A utilidade era a única ciência decente.

O homem que mentia às flores,
o homem que mentia aos pássaros

O artesão apenas educava os materiais para uma vocação que eles detinham por natureza, ouvira do pai. O artesão era um cúmplice da natureza, um certo intérprete. Como se avivasse a memória antiga à coisa inerte. O gesto precisava de ser único, sem repetição, para que a obra comparecesse na espontaneidade possível. Os crisântemos, explicava o pai, devem nascer de verdade no calmo papel de arroz. Mais do que pintar, os artesãos semeiam. Declarava solenemente. Semeia as flores no papel, filho. Lavra.

Itaro semearia incansável para repor a mercadoria, garantir a comida dos próximos dias, esquecer a decisão que tomava. Cumpria a cor como um ser que iluminasse os pigmentos. Incidia sobre os leques. Itaro aproximava a mão e o pincel lavrava igual a uma lâmina de luz sobre o papel. O seu rosto era uma presença divina no trabalho. As flores germinavam convencidas de que pertenciam a um deus, como se um próprio deus as esperasse atentamente. No entanto, Itaro, de olhar magoado, odiava as flores. Era um deus revoltado com a sua criação. Criava com a impressão de que haveria de devorar a candura de que era capaz. A criação amava-o e ele devoraria o próprio amor. O pai dizia: segue pelo papel como pelos campos e alegra as flores. O filho aprendera tão bem a lição que as sabia enganar, uma a uma. Para sempre.

Por vezes, a quem lhe perguntasse que ofício tinha, o artesão respondia: minto às flores. Podia dizer que mentia aos pássaros. Podia dizer que mentia. Era um homem a esconder a verdade.

Pintar as violetas desfeitas era o contrário da arte. Faria outra coisa diferente de semear. O papel acolhia a tragédia, entristecia, guardaria apenas o desastre. Um desastre eterno, como a contemplação exagerada de uma dor e da maldade. Itaro exigia a mesma exactidão. Estariam as violetas verdadeiramente mortas no leque, prostradas e apenas manchando a aridez seca e irregular do tronco caído. Tão desfeitas, viam-se como aquela água recolhida no côncavo do tronco.

As pessoas desentenderiam o que se deparava diante dos seus olhos. O retrato das flores mortas seria ininteligível à expectativa do cidadão comum. Ele diria que treinara o comportamento da luz. Guardaria uma experiência de luz. Mais nada. Se definisse aquele leque, pensaria que capturara um corpo de sol que se deixara molhar num bocado de água. O que é, perguntou a senhora Kame. Um corpo de sol que se molhou num bocado de água, respondeu o artesão.

Talvez fosse o único momento em que Itaro se escusou de mentir às flores.

Levou o leque à luz, a irmã quis saber que ideia tão diferente era aquela de pintar algo sem representação. O artesão emudeceu. Guardaria o leque para sempre.

Iniciaram a refeição, emudeceram. Mais tarde, a menina contou que viviam homens do tamanho da palma da mão no lado oposto do mundo. Pensava que o lado oposto do mundo era abaixo de Quioto, numa qualquer extremidade do Japão. Eram homens pequenos para caberem em cantos mínimos das cavernas e encontrarem caminhos de água pura e outras dádivas. A senhora Kame ria.

Itaro, no entanto, permanecia de rosto fechado. O juízo de administrar aquela pouca família tirava-lhe a alegria mais fácil. A menina Matsu perguntava-lhe: irmão, umas pessoas pequenas podiam fazer casas com os teus leques. E ele respondia: isso é difícil. Nos dias de muito vento, andariam de casa a voar.

O artesão terminou de comer e se pôs sob as suas velas a colher a luz possível para pintar. Pintava em defesa. A senhora Kame já o sabia. Em muitos dias, o trabalho era-lhe uma coisa que deitava por sobre o corpo para que ficasse dentro dos seus profundos pensamentos. Um esconderijo.

Amor, sorte, amor, sorte, amor, sorte

Itaro sabia muito pouco da escrita. Conhecia alguns kanji, sabia juntar uns quantos para significar, por exemplo, a origem do sol. Era alfabetizado para menos de cinquenta palavras. Só podia auxiliar-se em algumas sortes. Por essa razão, no grande santuário se foi meter a pedir que lhe escrevessem dez frases para mandar a longe. Que a menina cega estava grande e justamente preparada para ser entregue.

A senhora Kame passara o dia inteiro nervosa, numa ansiedade descontrolada. A vassoura inquieta, varrendo já nada, apenas o tempo. Quando o artesão regressou, confirmou que enviara notícia ao comerciante que muito lhe pedira o cuidado da cega. Para que lhe serve uma cega, perguntara Itaro da primeira vez. Para que sorria sem saber de o quê, respondera o homem. Tenho negócios caros e casa grande, fiéis criados e muito respeito, posso usar o rosto enclausurado de uma jovem por melhor companhia.

Dizia rosto enclausurado para explicar que a cegueira era uma forma de prisão. Um modo de estar dentro. A menina Matsu estava dentro de si mesma. Nunca poderia ausentar-se da sua essencial clausura.

Gosto que seja assim. Se a formosura lhe acontecer, eu gosto que seja assim. E Itaro respondeu: acontece.

Talvez o comerciante transformasse Matsu numa gueixa, uma contadora de histórias perfeita, porque as histórias usavam apenas ideias, objectos da cabeça. Talvez a quisesse assim mesmo, inválida, a dizer bom dia sempre grata. Quieta e grata.

Se o comerciante a aceitasse, mandaria resposta ao santuário, à mesma pessoa. O artesão buscaria tal mensagem a cada dia. Com medo de a ver chegar e com medo de nunca a ver chegar.

A criada caiu sobre as pernas e chorou. Estava proposta a partida da sua musumé. Era pelo juízo e pela fome. Algo que tinha de ser, fazia parte da resiliência, da forma mais cônscia dos afectos. Mas caiu sobre as pernas e chorou porque a sensatez nunca impedia a dor.

Quantos objectos tens na cabeça. Perguntava Itaro. A menina respondia: cinco milhões, como as árvores que vês na floresta, que é o mesmo que ser impossível de contar. O artesão dizia: quanto mais te couber nas ideias mais fortuna te guardará o destino. A cega ria-se. Bebiam hojicha, estava quente, refilavam. A senhora Kame a torrara talvez demasiado. Importava pouco. Conversavam sobre quantidades e coisas impossíveis. O impossível são cinco milhões. Tudo quanto há dessas quantidades é mais do que nos falta. A menina afirmava. O impossível é uma quantidade que excede o que nos falta.

Parecia-lhe óbvio que a vida se bastava com pouco.

Itaro e a criada silenciaram-se. Comentariam nos dias seguintes, a sós, que a coragem de que necessitavam era a dignidade dos heróis. Pela cega, os dois, deitariam a mão a uma heroicidade admirável. Seriam meticulosos. Perfeitos. Era isso que pensava o artesão. Que necessitavam da perfeição.

A senhora Kame diria amor, sorte, amor, sorte, amor, sorte.

A menina cega demorava nas preces sem suspeitar de nada. Que cada deus dedicasse a sua fúria a outros lugares. Pedia. Que cada deus se pacientasse apenas um pouco mais com a pobre família. Matsu fazia suas súplicas e acreditava que estaria tudo muito bem. Conversava com os pais. Dizia: mãe, obrigada. Muito obrigada. Pai, obrigada. Muito obrigada. Julgava que os seus antepassados providenciavam o destino. Estariam imiscuídos na sorte para educarem o destino. Pensava, amor, sorte, amor, sorte, amor, sorte.

Itaro pensava que o rosto da irmã era sem clausura. A cegueira largava-a na imensidão. Uma coisa sem fim. O rosto de Matsu era aberto. O rosto aberto.

Arte da fome

Diriam a todos que a menina cega entrara à floresta e se perdera. Iriam lamentar que a escuridão fosse imprestável para ler o labirinto e jurariam esperar a vida inteira pelo seu regresso, ajudada pelo acaso ou encontrada por algum suicida arrependido. Um dia, diriam, a menina Matsu descerá a encosta como um fruto maduro que saiba caminhar e conheça o seu lugar. Voltará aos cuidados do seu irmão e da sua mãe perto. Essa mãe anexa, muito perto.

A senhora Kame preparou a trouxa ligeira e chorou sobre o manto que lhe bordara. É para que se case. Dizia. Itaro ordenava que juntasse pertences quase nenhuns. Precisavam de atravessar metade da montanha, acima e para este, a fugir de feras, a fugir da tristeza. Era fundamental que o fardo fosse menor para que mantivessem as forças e a atenção. A criada se esmerava, perguntava: que diremos. Que diremos. E Itaro repetia: que entrou à floresta e se perdeu. Que a esperança nos assiste. Haverá de regressar ao acaso. Estaremos sempre aqui. Senhora Kame, depressa.

A criada bordejou os cabelos da jovem com uma coroa de flores. E a cega lhe perguntou: porque me põe bonita. E a mulher respondeu: por nada. A beleza carece de nenhum motivo.

Quando subiram a montanha, no dealbar, a menina cega ajeitava-se em tropeços e esgueiravam-se entre os cordames armadilhando o chão. O irmão lhe puxava pela mão, tão velozes quanto possível, e ela exclamava: pode vir um urso. Conta-se que há ursos no Japão. E o artesão abstinha-se de responder. Morreremos como comida. É grotesco.

Havia um sulco ténue atravessando a floresta. Um caminho quase imperceptível que alguns aldeões conheciam e apenas os bravos se atreviam a percorrer. Era um calcado antigo na vegetação que se mutava. A cada instante a floresta era outra floresta e mesmo a maior atenção perigava qualquer sentido no rumo. Os dois irmãos se embrenhavam no labirinto e o ruído crescia como se a azáfama da natureza aumentasse. De quando em vez, a cega perguntava: está ali alguém. Sentia que os braços das árvores oscilavam estranhos, longos e solitários a pender. Devem ser solitários. Coisas a parecerem mais sozinhas do que as outras. Dizia ela, referindo-se aos corpos dos enforcados. Itaro respondia: ninguém. São frutos gordos, flores imensas, coisas verdes que a floresta derrama. Se encontrarmos os suicidas, irmão, o que vamos fazer. O artesão calava-se. A cega exclamava: adoráveis suicidas.

Do que tens medo, Itaro. Perguntava ela. O artesão, mentindo, dizia que dos bichos. Até a senhora Fuyu morrera de uma dentada. Vamos longe. Vamos muito longe. E voltamos depois. Voltamos. Sinto falta de casa. De estar em casa. Estou muito cansada. Fica sossegada. A floresta também se abre ao destino. E se vierem as serpentes. Basta uma serpente. O que foi isto. São os macacos. Tens a certeza. Viste-os. Isso é difícil. Saburo san contou-me que no coração da montanha há fogo onde os dragões se juntam a tomar banho. Sabias que os dragões se banham no lume. Saburo san mente. Eu acredito que ele sabe segredos. Itaro, os suicidas são mortos sozinhos. Sem preces. Ninguém os venera. Só a floresta, talvez, que os consome. Há tantos fios pelo chão. Esta é a montanha do arrependimento. Quem por aqui vem, volta sempre. Isso é mentira, irmão. A nossa montanha é tão generosa quanto sem piedade. É um macaco. Tens a certeza. Creio que tenho. E se for um tigre. Chhh. Que é. É uma coisa a cair. O quê. Uma coisa. Deve ser o tronco a morrer de uma árvore. São muitas, algumas já haverão de estar ocas, apenas à espera de um pequeno ar que as empurre. Tenho medo. Estamos a andar muito. Isto é muito. Itaro. Escusas de negar. Se houver serpentes, vais baralhá-las com a própria confusão. São invisíveis na floresta. Cala-te. Matsu, cala-te. Estás a fazer barulho. Ficam a saber que passamos. Ouço muitos bichos, Itaro. Ouço tanta coisa a correr. És o meu terrível samurai da mais terrível casta. Perguntava a menina. És.

No cotovelo do riacho, junto das pedras que se levantavam acima da água e por onde se poderia cruzar para o outro lado, Itaro sentou a irmã. Podia parecer a Matsu que fariam uma refeição. Estava com fome, o sol queimava agora, alguns peixes barulhavam na água. Onde há sombra, perguntava. Itaro a moveu, pousou a trouxa junto e a deixou. Normalmente a cega lhe escutaria o afastar dos passos, ainda que suavizados pelo tapete fulvo da vegetação. Escutou nada. Itaro deixara de lhe responder mas talvez estivesse perto. Espiando. A cega silenciosamente chorou. Podia ser que a sentara ali para ser tão à mercê quanto os corpos dos suicidas.

Podia ser que estivesse diante das árvores eufóricas. As cerejeiras de onde o sol nunca se ausentava. Rosto perfeito para a morte. Que pena estar impedida de ver o rosto perfeito da morte. Seria acometida do fim por elementar traição. Ou morrer lhe abriria finalmente os olhos.

Perguntou: Itaro. Irmão. Depois, escutou melhor, voltou a perguntar: Itaro. Irmão. Subitamente, das pedras levantadas sobre o rio se ouviu a aproximação de alguém. O próprio som da água parecia intercalar-se com o corpo de quem lá chegava. Matsu, certa de ser um desconhecido, ainda assim chamou: Itaro. Irmão. Dizia o nome de Itaro para servir de abrigo. Um nome que a protegesse por definição. Como se estendesse o seu jardim discursivo usando apenas o vocábulo mais incondicional e sagrado. E o desconhecido homem lhe respondeu: menina Matsu, bom dia.

Então, Itaro se afastou sem palavra. Entregara a irmã tão segura quanto possível. Haveria de ter a graça de atravessar a outra metade da montanha, e até ao cimo do lago Biwa, sem sucumbir aos ursos e às serpentes que se contava existirem no Japão.

Turvando o olhar, Itaro enfeitou o seu sentimento. Com uma lágrima enfeitou o seu sentimento.

Em casa, a senhora Kame dizia: musumé, onde estás. E ela mesma respondia: no meu coração. E voltava a perguntar: e onde mais. E outra vez respondia: apenas no meu coração. O artesão a proibiu de voltar a chamar por quem se ausentara. O artesão disse estar esfaimado e querer comer. A criada preparara o que havia e assistiu à fome do seu senhor junto ao incenso a queimar. Todo o dia passara em preces. Suplicara a todas as intuições a salvação da sua frágil musumé.

Se ao menos o mundo fosse o que a boca diz, comentou a mulher, diria a menina o meu nome. O meu nome. Itaro, furioso, a empurrou e ordenou que nada mais se conversasse entre eles. Haveriam de exalar o lugar vazio de Matsu. A casa se poria repleta de outras presenças. Trariam pedras do campo, se fosse necessário. Trariam todas as canas de bambu e as colocariam em pilhas tombando por toda a parte. Pilhas de bambus ao tamanho de gente que andasse em pé por ali. A casa ficaria cheia e disfarçada da falta de alguém. Depois, isso aconteceria também com o ímpeto de lhe falar. Com o ímpeto de a escutar explanando as suas tontas ideias de jovem cândida. Mais tarde, a menina estaria fora dali em absoluto. Nem que precisassem de engolir também as pedras e as canas, até que nada dentro deles se sentisse vazio e se atrevesse a nostalgias imprudentes que certamente os motivariam a morrer mais cedo. Itaro vociferou e a criada Kame ficou imóvel no fumo do incenso, ajoelhada e finalmente calada.

    A ausência de Matsu era uma intrusão. A casa estava assaltada pela falta que uma tão pequena menina fazia.

    Deitaram-se depois. Sem dormir. Encaravam a plena escuridão da noite e sabiam que nenhum objecto ocuparia o verdadeiro mundo de Matsu.

    Quando fechavam os olhos, o extenso mundo de Matsu se abria.

    Quando se punha o sol, o extenso mundo de Matsu se abria.

    Era como uma armadilha que haviam falhado de prever. As noites chegariam sempre como uma armadilha deitada sobre eles. Que os faria reféns de haverem renunciado à menina. Quando se deitassem, dali em diante, pressentiriam os dois, sem se explicarem um ao outro, que a noite os capturava. Inevitável, a escuridão comparecia e aludia a uma ciência que os ameaçava.

    O artesão e a criada estiolavam. A mulher, encorajada pela tristeza, disse: ofereceria os braços à boca dos bichos para que poupassem na fome a minha menina. Itaro respondeu: a menina acabou-se. Está feliz. Outra vez Itaro pensou que havia de prostrar-se no chão junto ao castelo de Nijó, o mais cerca do palácio de Ninomaru que conseguisse. De rosto caído. A honra inteira na palma da mão a pedir. Como se explicasse a cada bom homem que o espírito divino lhe ordenara aquela situação. Enfrentava a contagem da míngua e a arte de mendigar. Lembrava-se, os mendigos eram teatrais. Estavam longe de mentir. Ilustravam o desespero com talento.

A lágrima de fumo

Ao voltar pela floresta sozinho, Itaro fazia as preces recomendadas como quem largava um pouco de dinheiro pelo chão. Era uma paga. Pagava a cada canto da floresta o seu desalento para se salvar da corrosão de qualquer remorso.

Acendera incenso e prosseguia espalhando pela vastidão o odor puro. Uma espécie de lágrima de fumo que a sobriedade com que decidia a vida o penalizava.

Os dias seriam excepções ao tempo. Um modo negativo de perdurar.

segunda parte
O homem interior a todos os homens

O homem sem semelhanças

Chegaram num cortejo lento, carregados de tecidos e caixas, distribuindo um silêncio pasmo pelos habitantes do pequeno lugar. Eram circunspectos, sem palavra, organizados em redor do homem coberto de negro como se, à terra revolta do chão, navegassem águas macias e fossem a impressão de um barco gentil.

Correra a aldeia que assim viria o sábio, cuidado por seus criados, mandado para o pé da montanha a cismar nas salvações mais difíceis. Ainda a vizinhança lhe esperava ver a figura, já se dera a notícia de que era sem semelhanças.

Vivia coberto por sua renda escura, mortalha estranha, através da qual os mentirosos juravam ter visto um esgar azul, pedaço de luz de sol ou peixe dourado. Era certo que o sábio nunca se mostrara, talvez por ser grotesco, talvez por ser a face do sagrado e incompreensível aos olhos incapazes dos demais. O velho era de negro, escorrido de figura a parecer a sombra magra de um bocado de pau andante. O velho era uma sombra vertical.

Atónitas, as pessoas da vizinhança paravam-se dos cultivos e tantos outros serviços para observar o marulhar lento daquela gente e imaginar que novidade trariam ao sossego cruel do costume.

Quando se abeiraram da casa de Itaro, já agarrado à carroça em que dispusera os seus leques para se acudir às vendas no centro de Quioto, detiveram-se. O artesão, a reprimir a criada pelo ruído, pôs-se de boca aberta, à vista dos chegantes. A senhora Kame exclamava: é o sábio imaterial.

Era o homem imaterial. Devia ser pensado como uma consciência pura, livre, solta nos elementos. Deviam ignorar-lhe o corpo, porque apenas usava vestes deitadas ao forte vento do espírito. Mais nada. Como se fosse ninguém e, simultaneamente, fosse muitíssimo mais do que qualquer um.

À presença do quimono da senhora Fuyu, o sábio de verdade cismou. Contemplava a veste suavemente movendo, a pensar devagar ou a inventar uma arte secreta. Saburo desaparecera cedo, ninguém o sabia chamar. Por isso, algumas pessoas diziam que o quimono imitava a morta, fazia companhia. Estavam todos habituados, como se houvesse uma mulher diferente na comunidade. Uma eterna mulher ao dependuro a contar os pássaros.

O sábio moveu-se. Desceu infimamente do caminho, e disse: que o juízo das pessoas ubíquas vos poupe.

Assim o proferiu e em toda a parte se sentiu o som inimitável da sua voz e a voz desceu sobre a terra. Era um manto gigante a pousar. Ficaria um bom tempo soando, até que as coisas todas a sorvessem de sede, como água. Então, o homem sem semelhanças se centrou de novo ao círculo das suas pessoas e caminhou.

Era um monge maturado. Um estádio perfeito de vida. De tão natural, apenas caminhava, nunca subiria a um palanquim. Razão pela qual viera em demoras, porque tudo quanto comungava com a natureza se harmonizava em cada gesto e se humildava. Abdicava de urgências por respeito à humilhação. Em qualquer instante era uma totalidade em pleno esplendor.

O colectivo geométrico afastou-se em seu solene compasso. A senhora Kame pensava que vira o homem absoluto. Comovia-se à medida da sua incontrolável pequenez e da última esperança.

Chegava para cerimoniar os suicidas. Alguém o lembrou. O sábio monge ali chegava para prestigiar os suicidas que se acostumavam à floresta.

Itaro, incomodado, intrigava-se com saber quem seriam as pessoas ubíquas. Ninguém era em toda a parte. O tamanho dos homens ia da cabeça aos pés, das pontas de uns dedos às pontas de outros dedos. Mais esticado do que isso ninguém era e só o era uma vez. Os rostos parecidos manifestavam o humor da natureza. Mas nenhuma parecença duplicava alguém. As pessoas estavam num só lugar e eram umas. Pensava. O velho sábio falava de estranho modo. E, ao falar, raspava a pele dos ouvintes como se lhe retirasse a espessura.

Mais tarde naquela manhã, a senhora Kame ouviu um chamado à porta e sobressaltada abriu. Era uma jovem que ainda mal havia chegado no cortejo do velho sábio. Levantou a cabeça o melhor que pôde e disse: meu senhor manda anunciar a alegria de se mudar para este lugar, manda duvidar da beleza das flores na orla da floresta, manda desejar felicidade. O meu senhor manda sorrir. A criada Kame, sem muito bem entender o que significava tal coisa, sorriu, sem jeito. E a mensageira juntou: partilhando a alegria, o meu senhor cumprimenta as pessoas desta casa. Vai estar um belo dia. Muito obrigada. A senhora Kame pensou ser triste que mandasse duvidar da beleza das flores. A beleza das flores era concreta e alegrava as pessoas. Ficara, contudo, um belo dia.

Quando sozinha, a criada lembrou que tantas vezes explicou o jardim à menina Matsu. E a menina dizia: para os cegos as flores são ainda coisas de ver. Mapeava-as pelos perfumes. Andava entre elas sem lhes fazer dano. A criada, encantada, julgava que Saburo transformara a aleatória floresta num palácio. Nenhum imperador haveria de ter jardim mais valioso. E a montanha partia dali imponente, casa infinita dos deuses.

Deixou-se à porta. Igual a Saburo, a senhora Kame também esperava ver alguém descer a encosta. Esperaria para sempre. Inclusive confundindo os deuses com a menina. Dedicada aos seus rituais, a mulher celebrava a musumé como se tudo em seu redor fosse veículo de lhe levar notícias. De lhe levar protecção. De algum modo, o afecto que a senhora Kame lhe guardava impedia-a de verdadeiramente ficar sem ninguém. Dizia para si mesma: amar é uma proibição de estar só. Ainda que ausente, a menina era uma companhia impossível de se perder. A senhora Kame outra vez o pensou e se compadeceu com Saburo. Estavam iguais à entrada da montanha. Estavam exactamente iguais.

Repreensão a Saburo

Descreviam a figura do sábio pormenorizadamente, que era enorme ou minúsculo, largo ou sem ossos, sem cabeça e várias pernas, cinco pernas, falava por gestos, movia as mãos suavemente e o som nascia, usava a voz de um pássaro, falava em toda a volta, podia aparecer no topo das árvores, comovera-se diante do quimono da senhora Fuyu, tinha dito que era ubíquo, podia ficar ali e ir-se embora ao mesmo tempo. Toda a gente sentia que ele ficara em toda a parte. Andavam desde então a espreitar por sobre os ombros, a suspeitar de barulhos e de qualquer bicharoco que passasse. Desde então, todos estavam acompanhados. Disfarçavam o esquisito, mas admitiam-no.

Diziam que era um sábio abundante. Sobejava pelos campos, enquanto se fazia o trabalho, enquanto se descansava, a cercania do homem era impossível de ignorar. Vinha coberto de uma longa renda e de seda até aos pés. Havia fogo no interior que seria só o espírito candente da perfeição. E a renda ou a seda nunca se destruiriam. Eram feitas só de ideias. Aquelas vestes eram apenas um pensamento. Diziam miraboladas as pessoas. E Saburo sorria. O velho monge era apenas um pensamento. Quem por sorte se pusesse de conversa com ele estaria simplesmente a meditar. Era um homem interior a todos os homens.

Quando encontraram o oleiro nos campos, imediato o instaram a regressar. Havia chegado o importante vizinho, detivera-se diante do quimono da senhora Fuyu, quase longamente, lhe diziam. Ali esteve quase longamente. Que era para impressionarem o oleiro para a atenção responsabilizadora que o sábio dispensara. E mandara duvidar da beleza das flores. Casa a casa, pelos campos fora, mandara espalhar os votos de alegria e duvidar da beleza das flores. Pelo que o oleiro se devia sentir repreendido. Como sabia, havia muito, estar errado por adornar o tosco intuitivo da floresta.

E as pessoas gostavam de Saburo. Era triste que a sua candura fosse errada. O menino envelhecido, a combater ainda o animal que baixaria a encosta para lhe morder a mulher. O oleiro habituara-se a ser de ternura. Considerava que a natureza haveria de premiar os que usavam a sua própria semente para melhorar o mundo. Porque cada pé de flor vinha de uma receita que a natureza lhe colocara nas mãos. Era apenas um tarefeiro. Um dedicado tarefeiro da magia natural.

Naquele dia, Saburo recolheu mais cedo o quimono da senhora Fuyu. Levava-o no braço entornado como uma mulher muito dobrada e magra. Dava uns passos até casa quase pairando a veste, que se assemelhava a dançar junto ao corpo do homem. E ficou trancado. Ninguém sabia o que faria Saburo quando recolhia o quimono mais cedo. Havia um suporte na madeira onde o estendia. Mas, em alguns dias mais aflitos, quem lhe espreitasse porta adentro era incapaz de o ver. O quimono estaria em outro lugar. Usado de outro modo além do de apenas ficar à vista.

Algum amigo poderia ir animá-lo. Dizer-lhe que se motivavam à vida tantas pessoas com o seu jardim. Os suicidas que imediatamente desistiam, muitas vezes em vénias perante a surpresa de um extenso bordado de pétalas alegres. O ofício onírico do oleiro era indutor de humanidade. Precisava de ser uma honraria, ainda que estivesse errada, ainda que fosse uma exuberância controversa. Sentavam-se a beber sake e intensificavam-se. Em algumas noites, Saburo e os seus amigos barafustavam sem sentido, bêbados e caídos para cada lado, vencidos nas batalhas contra si mesmos.

Lentamente, as visitas partiam, cambaleando e maldizendo as dores de cabeça, e o oleiro se deixava, como se tivesse caído do alto, sem cuidado nem posição. Se algum bicho baixasse a montanha naquela altura para morder nas pessoas terrivelmente, o oleiro seria a comida mais fácil. Como se o quisesse, de uma vez por todas.

Naquela noite, desperto em sobressalto por costume, Itaro assegurou-se de haver nenhum inimigo e limpou o rosto. A senhora Kame respirava fundo no outro lado do biombo, e o artesão julgou ainda escutar um galho a partir-se, algo que tombasse pelo caminho inadvertidamente e que um pé calcara. Saiu ao luar e havia nada. Reparou, então, que a porta da casa de Saburo estava corrida de aberta, e a lanterna ardia ainda, alumiando o meio da noite. Passou-lhe pela cabeça que o destinado oleiro pudesse morrer igual morrera a esposa, colocado à mercê de algum animal feroz que o soubesse encontrar. Itaro, de sabre na mão, mataria o animal.

Ao espreitar a casa de Saburo, o artesão via a lanterna consumindo-se e as taças do sake. Via um pé, certamente do homem, a dormir pela noite ou pela eternidade. E entrou. Saburo dormia embriagado, ressonando sonoro, metido no quimono da senhora Fuyu. Era ele por dentro da pele vazia da mulher. Os dois misturados momentaneamente. Itaro assustou-se. Habituara-se ao quimono estreito, sem nada, e quase se enganara a julgar a presença da morta no chão da casa. Depois, de sabre apontado para que estranheza nenhuma lhe saltasse ao peito, o artesão viu melhor e notou um sorriso largo nos lábios do oleiro. Saburo sorria num resto de felicidade que ele próprio inventara. Era grotesco. Itaro pensou: grotesco.

Soprou a lanterna, fechou a porta, e de sabre firme passou a matar todas as flores do jardim. O artesão, rasteiro de braços e também com os pés, matou todas as flores no exacto momento em que a primavera ia começar.

No fim, prostrou-se na terra despida, adormeceu.

Ao primeiro bulício do dia, ali o encontraram, como um bicho incapaz de se amansar com beleza alguma.

A senhora Kame chorava caída sobre as pernas. O oleiro veio lentamente e proferiu nada.

Itaro disse: o sangue condecora os bravos. Manchado no rosto, erguera-se impiedoso. Repetia: o sangue condecora os guerreiros. Os aldeões desculpavam a sua fúria por ter perdido a sua vulnerável irmã. Entristeceram com o gesto do artesão e desculparam-no. Lembravam a menina Matsu, incluíam-na nas preces para que regressasse de imediato, salva dos bichos e da fome, salva das covas e do frio.

Aos aldeões, o oleiro declarou: quero mostrar o amor, lamento que só vejam a morte.

O homem útil

Tinha de reparar nos três monges que ajardinavam. Precisava de perceber quando subiriam ao santuário para a refeição. Marcara com o cliente no estreito do caminho, ali à sombra, a levar ao enorme templo. Ficaria à vista do empernado das madeiras que levantavam a casa sagrada às nuvens e aguardaria. Mais gente passava, acometida de pressas para orações aflitas ou de mãos cheias a levar e trazer coisas. E era um lugar esconso, torto de jeito, por onde todos os de Quioto se metiam sem contar que um artesão empurrasse a sua carroça e se demorasse a vender. Quem vinha de palanquim muito se enfadava, a recomendar aos seus carregadores manobras difíceis, tantas vezes descendo ao chão para que o palanquim inteiro fosse quase até ao nível das cabeças e voasse acima da carroça impertinente do artesão. E muito esperou. Viu os três monges jardineiros passarem, viu como outra vez desceram, satisfeitos de bons peixes e algum jejum, e o cliente falhava. Itaro já fizera todas as contas ao tempo e era certo que o cliente incumprira o acordo. Segurava o luxuoso leque nas mãos, conferia um a um os detalhes da encomenda, e revoltava-se que o defraudassem.

Talvez por se obcecar na chegada de um cliente específico, o artesão deixou de notar que havia tanto que aguardava ainda sem vender. Expostos os leques na carroça, com menos pregão do que o costume mas a mesma qualidade e perfeição, quem por ali passava ignorava absolutamente o negócio e comprava nada. Todo o dia ali ficou. A enfurecer e a hesitar tomar a decisão de partir. Mais valia que tivesse ido para a grande porta do palácio Ninomaru, onde esmolava tanto quanto negociava. Os homens ricos ostentavam o poder acudindo aos miseráveis. E alguns se admiravam com os leques de Itaro. Simples leques de pobre, mas rigorosos e sensíveis. Diziam: exactos bocados do mundo.

Entardeceu e o artesão seguia sem vender e derrotado. Era tempo de regressar a casa. Fazer caminho de volta, a empurrar a carroça pelos fundos buracos do chão. Desolado, tanto quanto impotente.

A senhora Kame o abençoou. Era importante que tivesse mais sorte no dia depois, perseverante e sobrevivente. E Itaro comeu, espiou os leques e pintou.

Na madrugada seguinte deitou-se a Quioto o mais rápido que pôde. A chegar ao estreito do santuário com brio e seguro de que o cliente viria entusiasmado a cumprir o seu pedido, ainda que em atraso, alegrando-se com o requinte do leque à sua espera. Itaro havia acrescentado pequenas gotas de tinta. Uma garça longínqua, um gesto de vento no topo do cipreste, a cintilação mais fresca da água. Era uma visão eterna do templo dourado. O artesão se orgulhava e sentia seguro de ser um trabalhador sério, respeitável.

E os três monges passaram à refeição, e outra vez desceram o empernado do templo, e ajardinaram as árvores como de hábito. Mais para a esquerda, mais para a direita, catavam maleitas às árvores que ondulavam como satisfeitas. Os dos palanquins barafustavam, espremiam-se para cima das sebes, protestavam com os braços em círculos a espanar palavras desagradáveis, e

Itaro esperava, sempre a contar rostos e a confiar que o cliente ali chegaria com uma desculpa e moedas na mão.

Novamente o dia se gastou e o artesão regressou a casa sem negócio. E a senhora Kame, assustada, exclamou: nada. Meu senhor. Vendeu nada. Agarrado aos belíssimos leques, Itaro regressara sem moedas. E a mulher lhe disse: há que pedir, senhor. Queria dizer, acender o incenso, fazer as preces, acreditar que no dia seguinte alguém se deixaria seduzir pelos seus cuidados artigos. Os pedidos que fizessem seriam atendidos, porque estavam muito honrados. A criada insistia. Estavam muito honrados e a sorte haveria de os reconhecer.

A senhora Kame lembrou: o estômago vazio é um péssimo aliado na discussão do preço. Alimentou seu musuko e o deitou à rua como uma súplica enviada à sorte. Alertou-o para a vénia a cada sacerdotisa. Ideias educadas de velhas superstições. As vénias às sacerdotisas valiam até para atravessar paredes e lados contrários de montanhas.

Outra vez Itaro se fez ao estreito e esperou. Aos três monges para o templo e depois para baixo, veio ninguém. Passara a refeição, entardecia, e apenas o desacato do costume. Os palanquins tontos a caberem entre as sebes e a carroça, os homens mais zangados em impropérios e braços no ar, nenhum leque vendido. A arte tão útil de Itaro ficara absolutamente invisível. Como se cegassem todas as pessoas. E o artesão se dirigiu a casa, mais lento, a empurrar a carroça cima e baixo dos buracos, cansado, a ponderar na fome.

No irregular daquela terra batida, por vezes, Itaro se demorava a retomar fôlego. E, assim parado, foi quando lhe correu entre pernas um gato. Enrolara-lhe levemente a cauda pelos joelhos, como faziam os gatos pedindo atenção. Era pequeno, muito escuro, via-se pouco entre o sujo do chão e o entardecer. Ia e vinha, sem saber se o artesão lhe daria delícia ou algum carinho. E o artesão o calcou.

O gato parado sob o seu pé era um ruído estupefacto, a esgadanhar a perna ao inimigo que se abria em várias linhas de sangue. Haveria de perder sete vidas num pé só. Por isso, o artesão pesou e lhe escutou o osso da cabeça a partir. Era uma taça de Saburo a ceder, pensou. Um barro escondido que se partira no saco macio da pele. O gato estremeceu a parecer submergir. Imediatamente, Itaro se inclinou e lhe estudou a morte.

Certamente por entardecer e o demasiado pardo da luz fazer mais sombra do que clarão, via-se pouco. O corpo breve do gato silenciara-se na sua própria escuridão, deixara a boca aberta, um modo de procurar respirar. Mas era só o quieto de um gato. Sem notícia. O assassino esperou. Dependia de si a leitura da morte, urgia que se concentrasse, reparasse nas coisas ínfimas e esperasse. O gato, por um instante, expeliu uma bola de ar que lhe estaria por resto nos pulmões e foi só o que fez. A morte daquele gato parecia fazer mais nada.

Itaro enfureceu-se. Tomou uma pedra e bateu a cabeça ao animal para que lhe contasse acerca do futuro. Que lhe desse razões para aquele súbito azar, para o azar contínuo, que o avisasse e apontasse alguma solução. Mas Itaro sabia bem que nunca encontrara uma solução na morte nem promessa alguma de esperança. Bateu outra vez, mais forte, e fitou o bicho desfigurado quando, sobre si, o vento inteiro do mundo tombou.

Arte da tempestade

Antes da chuva, Itaro cobriu os leques com o colmo e afugentou-se em desespero. A tempestade começara pelo tremendo sopro do vento, um peso físico que se pousara às costas do homem igual a um rochedo desenfreado lançado dos céus, e ele se pôs de pé custosamente, pensando em pressa, aflito para cuidar do trabalho. E empurrou a carroça fustigada de modo severo, quando já a chuva caía e o Japão se tornava no fundo de um oceano revolto. Faltava pouco para que chegasse. Haveria de guardar, como sempre, a carroça no baixo da casa e ajudaria a que as águas descessem pela terra inclinada dos campos sem aluviar a sua débil construção. Confuso e exausto, o artesão chorava na corrida, temperado também pelo seu próprio sal. E ponderava que o gato lhe houvesse anunciado a pior das pragas, sem palavras, apenas o gesto tremendo da tempestade. Aquela era inegavelmente toda a fúria do deus dos gatos. E assim assomou ao caminho da orla da montanha, e escorregava uma e outra vez, quando se deparou atonitamente com o quimono da senhora Fuyu atirado por sobre o canavial.

Era o quimono surpreso da morta senhora Fuyu, que se colhera no vento e voara para as pontas abanadas das canas. Um quimono naufragado. Encharcado como lágrima vermelha canas abaixo. Sempre confuso, Itaro estagnou. Dava-lhe a impressão nova de que poderia calcar o quimono como aos bichos. Extrair-lhe impiedosamente a sobra de vida que contivesse. O que adivinharia se um bicho tão diferente sucumbisse ao seu ataque. Perguntava-se.

Apeou-se do caminho, entrou no canavial enquanto o temporal se adensava, igual a saber dos seus nefastos intentos. O vento puxando as coisas do chão, a alvoroçar os objectos leves pelo ar e a troar num uivo ensurdecedor. Mas Itaro queria o quimono perdido da senhora Fuyu a todo o preço. Haveria de o sequestrar em absoluto segredo para se abeirar dele matador, como quem atormentava um prisioneiro. Apreciaria o desalento do vizinho. Apreciaria como se entregaria à condição de embriagado, sem mais amores. Apenas a evidente ausência e a obrigação comum de sobreviver.

Agarrou a veste numa nesga de ponta, e a veste toda foi um corpo que diminuiu e dominou numa raiva infinita. Assim a escondeu sob o colmo, desimportado com danificar os leques, certamente já também alagados e sem mais elegância ou serventia.

A criada o atendeu, ajudando a baixar a carroça à casa e a secar-se. Estavam os leques destruídos e vendera-se nenhum. Itaro, ainda assim, aparecia numa tensa calma, a senhora Kame a sentiu. Enquanto ela se angustiava e servia a refeição pouca, o artesão continuava distante. Três dias inteiros sem negociar e mais a perda de toda a mercadoria eram assuntos terríveis para o desespero da mulher. No dia depois, Itaro prometeu que ficaria segurando a casa e recomeçando os leques a partir das varas limpas novamente. Com aquelas palavras, estava providente. Mantinha-se estranhamente calmo. Absorto em algum sossego inconfessável de que a senhora Kame retirou receio.

Na madrugada, ao ínfimo anúncio da luz, Itaro saiu a medir a secura da terra e adiante olhou. Saburo carpia no chão, entre o restolho das flores, esse morto lugar da sua esperança. E Itaro se aproximou, e mais se aproximou, e o oleiro o viu erguendo-se e dizendo-lhe: vendeste a tua irmã, porco. Eu sei que vendeste a tua irmã.

O artesão sorriu.

Entrou em casa e vergastou a senhora Kame, ingénua a contar a sua intimidade aos vizinhos. A criada foi atrás do biombo e ficou.

Subiu o sol.

Comentava-se que a senhora Fuyu partira definitivamente. Havia um pesar de novo nos rostos de quem queria a Saburo. Visitavam-no com pequenas oferendas, agrados que lhe punham amizade. O oleiro carpia e declarava a gratidão possível. Mas o oleiro também se enraivecia.

A ossatura útil

Juntavam-se em torno do grande forno para vigiarem o fogo do oleiro. Estavam as peças moldadas, empilhadas no quebra-cabeças do estômago daquele incêndio, e iam arder-se até se mudarem. O barro gosta, diziam. Os amigos de Saburo conjecturavam as chamas, para que fossem certeiras, cheias a passarem por todos os interstícios, a enfeitiçarem a terra para se tornar pedra suave, inteligente e boa de usar. As taças eram terra adulta. Explicava-se assim a ciência da olaria. Taças como terra madura, que evoluiu. Como se houvesse de ser instruída para uma inteligência distinta. Outra inteligência. Contestavam. Deitada uma semente à secura do barro era infértil. Protestavam. A colaboração com a fertilidade significava a sabedoria maior. E alguns respondiam: outra sabedoria.

Acenderam os barros. Vigiavam a combustão como quem tomava conta do tamanho de um animal. Era para que se tivesse estável, sem se estender por motivo algum às madeiras circundantes. O forno tosco sabia cozer terra por coração, mas nunca o poderiam deixar sozinho. Observavam obstinadamente os orifícios por onde respirava. O forno era uma criatura de entranhas violentas. Acalmaria muito lentamente, para largar a ossatura útil à mão do oleiro.

Ridículo, Saburo enfeitaria depois as suas louças com pequenas pinturas. Até loucamente, porque se destituíam de serviço. As louças pintadas deixavam de valer para cozinhados. Nem para suster água limpa haveriam de ter bondade. Mas, ainda assim, as pintava, por oferta aos vizinhos, por oferta ao santuário, depositando nelas as frutas e gostando de ver. Eram de ver. Saburo perdia demasiado tempo com o aspecto fútil dos adornos. Mostrava-se um trabalhador insensato. Os amigos referiam o seu jeito engraçado. Queriam dizer-lhe, era um homem com certo descuido para a sensibilidade. O oleiro corava. Pensava ter outra função no mundo. Queria ser feliz. O Japão, no entanto, nunca definiria a felicidade assim. Julgavam ser uma incúria querer atribuir outra inteligência à natureza e isso respeitava também ao ajardinado da floresta.

As pessoas iam ao fogo agradadas com o calor. A primavera hesitava e as temperaturas haviam descido violentamente. O fogo do oleiro valia de sol preso. Um sol agrilhoado para pequenas conversas acerca da necessidade de continuarem a viver. Saburo, sentado pelo chão entristecido, agradecia. Perdera as forças para se encarregar daquele ofício e enternecia-se com a companhia.

À vista, atarefado com refazer a sua mercadoria, Itaro preparava os pincéis. Movia-os entre dedos com a precisão das lâminas mais agudas. Pensava que pintaria os mais encarnados jardins de outono, para ter a impressão de mexer no sangue. De quando em vez, ausentava-se. Entrava em casa e, do esconderijo sob os cestos, retirava um canto do quimono da senhora Fuyu e o sentia. Feria-o num golpe mínimo, apenas uma certa incisão por onde coubesse um dedo. Depois, voltava ao exterior e congeminava de que outros modos poderia maltratar o quimono sem o destruir por completo. Era-lhe irresistível manter na sua posse o que Saburo tanto desejaria reaver. Tinha um refém.

E os aldeões iam por ali lamentar a miséria de Itaro também. No azar de mercar nada e, sobretudo, de se passarem os dias sem que a cega fosse encontrada na floresta. A senhora Kame subia a encosta e, assustada com todas as coisas, se sentava um pouco. Fazia-o para imitar que a procurava. De verdade regressava em prantos.

Alguém começou a alardear que se juntariam todos os homens e entrariam nas árvores como uma rede gigante que vasculhasse cada pedaço agachado. Se a menina houvesse de ainda ter corpo, assim a encontrariam, nem que fosse como uma concha fechada pelo mais pequenino chão. Itaro fingia entusiasmo mas refutava, que a fragilidade da irmã já a teria espiritualizado em absoluto. E a senhora Kame repetia: espiritualizou-se. Mas os homens, enérgicos e melhorados das sortes, insistiam. Era uma boa ideia, irem vinte ou trinta, chamariam os mais valentes de outras comunidades, e passariam pelo enredo da floresta a ver tudo. Armados de sabres e preparados para salvar e sobreviver.

Itaro dizia: que haveria de comer. E alguém respondeu: melhor lhe cheiram a ela os frutos selvagens. Há-de estar de barriga cheia.

O oleiro, levantado em alguma inusitada força, disse: eu também vou. Tenho a certeza de que encontraremos a doce menina Matsu, e que ela estará muito bem e feliz por regressar a casa.

Alguém respondeu: sagrado Saburo san. Era maravilhoso que se animasse justamente para ajudar os outros. As suas olarias pintadas e disparatadas iam ser celebradas com alarido por toda a gente. Eram aqueles os modos com que se redimia de ser um perigoso sonhador. Em vénias, levantavam as vozes também. O oleiro era gentil.

O forno ainda bufava e a senhora Kame descia a encosta para ouvir que os homens todos se uniriam à cata da menina. A mulher levou o seu choro para o interior de casa, respondendo: obrigada. Obrigada. Muito obrigada. Itaro azedava como se a comunidade fosse espiolhar a intimidade dos seus assuntos familiares. Azedava como se a comunidade quisesse intrometer-se na sua sensatez.

A floresta

Quando trinta homens entraram na floresta à procura do corpo em concha da menina Matsu diziam a Itaro que esperasse o melhor mas se preparasse para a possibilidade do horror. Poderia ser que a cega se tivesse pendurado para morrer. Ninguém imaginava como o conseguiria sozinha, mas era certo que, às escuras e sem muita explicação, a jovem fazia as suas coisas da vida, assim naturalmente faria as suas coisas da morte também. Ou poderia ser que a cega esperasse mordida em algum chão. Desfeita em bocados pelo ofício das bocas terríveis dos seres selvagens. Onde a cega estivesse, era mais expectável que houvesse uma tristeza também.

Saíram de sabres limpos e afiados, reluzindo no sombrio do arvoredo cerrado, e gritavam palavras de ordem para se entenderem na extensão e na estratégia com que se organizavam. Todos haviam já ferido predadores que lhes desciam às casas. Sabiam como se comportava o animal atacante, esgueirado de traição e matreiro. Haveriam de redobrar sentidos e resgatar a jovem para a normalidade ou para o conveniente ritual de despedida.

Outra vez gritavam palavras de ordem e outra vez se garantiam. Eram trinta homens ferozes numa linha orgânica que via tudo. E Saburo respondia ao grito e erguia também o seu sabre e Itaro o via ocasionalmente, incapaz de se lhe dirigir ou demasiado encarar. O estranho oleiro, que soubera da entrega da jovem, prestava-se àquela mentira e acusava nada. Prosseguia. O artesão, por seu turno, esperava que se abreviasse a caçada, talvez o pudesse fazer se encontrassem algum corpo irreconhecível, diminuído pelo estômago da floresta. Talvez se deparassem com ossadas ao abandono, do tamanho de Matsu, e as pudessem foguear. Seria mais simples se encontrassem ossadas limpas, à espera entre os verdes como as reveladas pedras brancas de alguém.

Um homem se apavorou num dado momento. Houve um susto, correu por cada um o calafrio e a dúvida do que seria, mas ao mais afastado já só chegava uma reverberação de qualquer coisa, sem serventia para se saberem organizados ou se viria perigo por perto. E Itaro perguntou o que era. E viu Saburo aos saltos entre uma nesga de troncos e voltou a gritar. Outros homens se apressaram. Era alguma coisa, mas sabiam nada. E gritavam para que se gritasse de volta e a volta parecia ser também uma pergunta e ninguém entendia o que estava a acontecer e quem teria desencadeado o alerta.

Subitamente, ouviu-se um grito de ataque. Havia um bicho a morder os homens. Fariam um círculo à força das vozes de todos e o bicho estaria encurralado entre trinta sabres impiedosos e valentes. Assim começaram a fechar-se e as vozes reproduziam aquela primeira notícia de perigo. Fechavam-se e questionavam-se mutuamente para conhecer que inimigo seria, quem o vira, onde estaria ao certo, se viria de norte ou de sul. E ninguém sabia mais do que a urgência da formação, a tremer das pernas com medo entre tanta coragem.

Itaro novamente avistou Saburo, sempre breve entre os troncos, e avançando como os outros. Se a hipótese de encontrarem Matsu era nenhuma, a probabilidade de encontrarem um inimigo era demasiada, por isso o oleiro estaria tão imbuído da defesa quanto os demais. E o artesão se foi chegando e as vozes diziam que era um bicho grande, vindo de norte, desaparecera pelas copas, sabia trepar.

No instante em que Itaro olhou para cima, o sabre vertical como se fosse de cortar até a chuva, algo lhe raspou pelo corpo em corrida. Diria, algum bicho em fuga que o confundisse com um tronco e o tangesse. Por olhar para cima tão convictamente, quando deitou a vista pelo chão apenas viu um rasto numa certa respiração. Era só como se o ar da vegetação pisada ondulasse. Viu nada. E gritou: aqui. Mais por medo de estar sem ninguém do que por acreditar que caçariam o animal. Itaro sentiu-se vulnerável. Fora imprudente de pasmar para as copas tão junto de um animal corredor. E voltou a dizer: aqui. E os homens foram apertando o círculo e a fazer perguntas, o que seria, de quantas patas, e de que boca, quantos dentes, de que cor, se fazia som, rugia ou era sibilante, mas o artesão tremendo apontava apenas a direcção, que era norte, como se convidasse os bravos a continuar, sem se motivar a continuar também. Foi quando, do rasto do bicho, atendendo aos chamados, assomou Saburo e alguém exclamou: Saburo san.

O oleiro veementemente afirmava que vira nada. Se o animal tivesse corrido para aquele lado, seria de fumo, porque vira nada. Estava exactamente ali, e nenhum animal passara.

Todos os trinta homens se assustaram. De bichos a vir por destino estavam eles servidos. E se o inimigo de Itaro fosse de fumo era presa impossível, sem reacção a sabres nem carne para abater ou sangue a verter. Duvidaram. Ainda auscultaram o rasto que o artesão apontara no chão. Já sentiam nenhuma respiração. Era um vazio como outro vazio qualquer. Podia ter-se formado pela dormida antiga de um suicida. Era inconsistente, inconsequente, uma perda de tempo. E Saburo repetiu que estava depois do rasto, se algum animal houvesse furado por ali, do outro lado encontraria as suas pernas e o deitaria por terra. Desbastaram um pouco o mato, espreitaram melhor, consideravam que a frescura do rasto era inegável mas que o modo como terminava sem saída fazia pressupor que o animal teria avançado e recuado para o mesmo sítio. Se algum bicho houvesse passado por Itaro, para junto de Itaro haveria voltado. E o artesão abriu os olhos de espanto, amedrontado sem heroicidade alguma. Rodeado de homens, melhor olhou a ver se entre eles se pusera o inimigo. Mas apenas os homens se juntavam. Os sabres para trás como a salvar absolutamente o interior do círculo que formaram, e nenhum inimigo. Estavam ao ataque da quieta floresta. Eram imbecis. Alguém o disse. Eram covardes e imbecis. Mais valia que regressassem a casa. Assim que o disseram, puseram-se a andar. O sol ia deitar-se e ficariam atarantados sem proveito. A prudência mandava voltar.

Passavam por entre teias de aranha. Desferiam golpes no ar. Quem os avistasse julgaria que imaginavam inimigos. Saburo, a bradar também o sabre para destruir as teias, levava a lâmina junto do corpo de Itaro. Muito junto. Apressada lâmina que abriria qualquer obstáculo sem hesitar. Por duas vezes abriu pequenos furos nas vestes de Itaro que seriam para o tamanho de um dedo que se afundasse de modo nervoso. Eram pequenos furos como os que se veriam agora no cativo quimono da senhora Fuyu. Mas Saburo estava apenas instintivo. Sabia nada, ou acreditaria nunca.

O artesão entendeu que o vizinho, tradicionalmente delicado e inofensivo, retribuía-lhe a vontade de matar. Eram francamente opostos. Antagonizavam-se com honestidade e reconheciam isso no modo como se observavam de soslaio. Se fosse pelo decoro, combater-se-iam. A honra os levaria a escolher apenas um para continuar vivendo. Itaro duvidou que algum bicho lhe houvesse raspado o corpo. Quando olhava para as copas das árvores, temendo que uma serpente o viesse asfixiar, certamente lhe correu Saburo a medir a coragem de o matar. Ponderaria o melhor modo de assassinar. Diria por certo que se equivocara no emaranhado da floresta, pensando eliminar o bicho. Depois, carpiria serenamente, como quem padecia triunfante. Seria um plano perfeito.

Itaro, julgando-se perspicaz, assim se convenceu de que o vizinho assumira a última e a mais extrema hostilidade. A partir de então, estariam ambos em estratégias para a morte.

No entanto, os outros homens, sinceros naquela batalha, asseguravam-se da salvação espalhando um horror por Itaro, o assombrado. E prometiam voltar, como quem pedia misericórdia revelando a melhor intenção. Pensariam profundamente acerca da especificidade da floresta. Regressariam solicitando a sua cumplicidade. A menina Matsu bem o merecia. Sopesavam os riscos, sentiam-se capazes. Pensavam na cumplicidade para que o espírito do mundo os poupasse à desgraça que escolhera ao artesão. Então, uma lebre os passou, alguns se precipitaram no rasto da sua corrida e outros riram desajeitadamente.

Às mulheres esperando disseram que havia ninguém. Alguns sustos e ninguém. Estavam todos salvos. Embora ficasse o boato de que um bicho de fumo entrara o corpo do artesão. Um que lhe passara rente e seguira, voltando atrás como se o escolhesse. Como se o caçasse apenas a ele. Porque, de outro modo, teria avançado sobre o corpo de Saburo para o devorar. As mulheres abreviaram as conversas e fecharam as portas. Intensificaram as preces. Convocaram os seus antepassados. Suplicaram.

Itaro então os entendera, como se puseram em fuga da sua companhia, suspeitando que uma coisa morta se tivesse alojado dentro dele.

Diziam: foi contaminado pela morte.

Diziam: leva uma coisa morta no corpo.

A criada acendeu o incenso e o seu senhor lhe ordenou que o apagasse. Por inusitada exaltação, o forte odor do incenso queimado lhe estava a dar náuseas. Era melhor que apenas comessem o arroz.

Profundamente calados, comeram o arroz.

Naquela noite, no silêncio denso em que habitualmente se retiravam para dormir, alguém bateu duas palmas à porta do artesão. Pelo tardio, pelo cansaço, ambos Itaro e a criada se alertaram. O artesão gritou: quem é. À falta de resposta, espreitou por uma frincha nas madeiras e distinguiu a esguia e negra figura do velho sábio de entre o gordo negro da noite. Itaro recuou. O soturno sábio era sem sono, pensava, e certamente severo.

A senhora Kame se prostrou numa vénia. Antes ainda que o artesão abrisse a porta, a criada culpava-se por sua incomensurável cumplicidade. Itaro lhe pôs um pé para que se acalmasse e correu a porta a dizer: boa noite. A primeira coisa que reparou foi que o velho diminuíra. Talvez enrolasse em corcunda. Estava mais miúdo, descera.

Ficar criança

A negra pessoa coberta oscilava num vento mínimo que parecia soprar de todos os sentidos, como se fosse o ponto concêntrico do movimento do ar. O sombrio dos seus modos subjugava Itaro, que cedia dos joelhos, quase descendo ao chão para uma vénia demasiado vulnerável e veneradora. O artesão ouviu então a voz radial do monge maturado, esse som de toda a parte que se instalava fremindo por instantes, igual a ter cauda, demorar a escapulir-se pelo silêncio. O sábio, na sua inexpressiva máscara, lhe disse: cuidado com as pessoas ubíquas.

E Itaro, tremendo e já suando, perguntou: venerável senhor, quem são as pessoas ubíquas.

O monge lhe respondeu: os mortos. Itaro san. São os mortos.

A cauda daquelas palavras tangeu o artesão tão claramente quanto o bicho correndo na floresta. Mais Itaro se ajoelhou e tremeu. Mais Itaro chorou, gritando: senhora Kame, ajude-me. Senhora Kame, ajude-me.

Quando levantou os olhos estavam sós. A criada tomando-lhe os ombros. A noite sem ninguém diante da porta ainda aberta.

O artesão ordenou que a mulher se deitasse. Rejeitou-lhe as mãos sobre os ombros e fixou o exterior. A criada, também temendo que o seu senhor estivesse habitado pela morte, humildou-se por carinho e disse: musuko. Mesmo assim, Itaro a afastou e ficou pensante. Encarando a noite como se houvesse de ir buscar ou levar algo ao invisível do mundo. Depois, à pouca luz da lanterna, buscou sob os cestos, junto à pedra. Tomou o quimono da senhora Fuyu e saiu.

A criada viu a veste como um gesto de gato nas mãos de Itaro. Teve dúvidas se seria um bicho guardado sob os cestos ou se o bicho de fumo atirara uma perna para fora do corpo do artesão. A criada mais se escondeu atrás do biombo e gemeu por desgraça.

Itaro andou para o campo, irregular, indo e parecendo voltar a cada passo. Indo e indo, chegando ao fosso por onde fluía a água e onde se deteve. O quimono da senhora Fuyu estava furado mais de vinte vezes. Passava-lhe os dedos nas aberturas a imaginar o lado de dentro das feridas. Eram feridas secas, sem mais sangue. No magro corpo de tecido os dedos tornavam-se gigantes, potentes, vasculhando a ausência.

Deitou a veste ao chão, calcou-a, como já fizera vezes sem conta em casa. E mesmamente sentia nada. O tecido sujo desimportava-se com aquele pé. O magro daquela veste seguia imóvel, sem ninguém.

Então, Itaro correu à casa do oleiro e estardalhou à sua porta. Que o deixasse entrar. Que viesse à porta. Que lhe falasse. Queria que o oleiro despertasse para algo muito importante. E Saburo a correu e olhou. O vizinho lhe estendeu o quimono e disse: Saburo san, estava sobre as canas. Sobre as canas.

O oleiro desceu as madeiras da casa e tomou o resto da sua mulher que, outra vez, se pôs como escorrendo pelo braço num certo movimento de dança. Itaro bem o viu. E insistiu: estava sobre as canas. Ali, no canavial.

Quando Saburo entrou, fechando atrás de si a porta, acendeu novamente a sua lanterna e assim ficou. A luz furava pelas frinchas da casa, onde o homem se estaria convencendo da pequena, mas tão significativa, ressurreição da amada mulher.

O oleiro julgou também que Itaro lhe pedia perdão com aquele gesto. Era, no entanto, impossível perdoá-lo.

Na casa de Itaro, por outro lado, a criada silenciara-se para terminar aquele dia. Mas ele perguntou: fizemos o melhor. E ela respondeu: sim. Fizemos o melhor. A entrega de Matsu ao desconhecido fora uma elevada sensatez. Era fundamental que se mantivessem serenos.

O artesão deitou-se também. Permaneceu indefinidamente em atormentada consciência e, depois, dormiu sonhando que os sabres dos trinta homens lhe entravam os olhos. E cada homem lhe dizia: ficarás criança como a tua irmã. Quando cegares saberás exactamente o caminho para chegar até ela. Como se os cegos habitassem comummente um mundo paralelo e nunca se perdessem uns dos outros. Estavam encurralados. Itaro, contudo, temia o contrário. Os cegos habitavam talvez poços distintos. Imergiam cada um na sua clausura. Confinavam.

E pensava. O rosto aberto. O rosto aberto. Seduzia o medo sem capacidade para o terminar.

O pai ubíquo

Vinha Itaro carregado das melhores canas, os braços como laços em ramos largos sem flor. Cansara-se a escolher, como de costume, para se fornecer da melhor matéria-prima. Algumas canas eram já larvas dos leques. Pensava assim, que coleccionava larvas que saberiam virar borboletas, por mais desasadas que nascessem. Por vezes dizia-se vendedor de borboletas. Espaventavam as suas coisas. Fazia coisas de espaventar. Lembrava-se de Matsu e verdadeiramente se entristecia. Lembrava-se de como lhe contava acerca de a ver nascer.

Seguia pelo carreiro íngreme, no rebordo estreito onde se passava apenas por pé ante pé. À esquerda lhe dava a espessura da plantação, à direita o fosso por onde traziam a água. À esquerda tinha uma parede verdejante, à direita um precipício acentuado, a luzir o limpo curso que se fora pedir ao distante riacho. Funâmbulo, era perfeito na tarefa. Muito mais canas do que braços, o artesão trabalhava. Subitamente, ainda indefinido pela luz ofuscante da manhã, Itaro viu um vulto no fio do caminho. Era um corpo, talvez andando para lá, talvez ao seu encontro, entendia nada. Semicerrava as pálpebras para ver por rigor. Havia um vulto escuro, parecido a grande, no fundo do olhar. E mais se apressou, apertando as canas por zelo, cheio de coragem, e foi imaginando que algum vizinho por ali se metera, a eito para os campos. Imaginava que seria um vizinho cordial, apiedado pela sua imperiosa necessidade de passar. Pensou, certamente alguém que se encorajasse a descer ao declive do fosso, devagar, com muito cuidado para se salvar de cair. Seria seguramente uma figura corpulenta, forte, sem medos para dar dois passos verticais e se aguentar.

Em um tempo imperceptível, já Itaro teria passado e o bondoso homem haveria de subir ao caminho para se endireitar. Semicerrou as pálpebras, viu claramente como era um vulto considerável. Teria um quimono escuro e largo, parecia gesticular a espanar algum insecto. O artesão respirou, ensaiou um cumprimento. Ia cumprimentar o vizinho com respeito e suplicar-lhe a atenção. Era fundamental que se mantivesse no ínfimo rebordo. Esforçado como ia, num desequilíbrio rebolaria facilmente até à água, molhando as canas que escolhera tão secas e preparadas para a assombrosa metamorfose. Seria uma tragédia que banhasse as canas.

Chegando mais próximo, Itaro atentou no aparato sempre articuloso do indivíduo, uma movimentação atarantada, cheia de gesto, igual a vir entre abelhas. Hesitou. Para se colocar em fuga andaria demasiado para trás. Descer, nos esforços que levava, seria impossível. A única forma de se furtar a tragédias era que se acalmasse o desconhecido, que se pusesse vertical e empenhado, sem excentricidades ou ideias. Itaro mais olhou e mais lhe ficou a impressão de que o homem era aflito. Vinha por lato corpo, estrebuchava como um perdido a naufragar. Talvez algum importante senhor, metido no discreto do canavial para se aliviar.

Muito mais perto, o artesão recuou. Três passos primeiro. Por contingência de serem as canas longas, assim andava, para trás, porque seria impraticável girar sobre si mesmo. E pensava, que absurdo fugir dois mil pés às arrecuas, os braços em argolas grandes sem movimento. Haveria de estabalhoar-se, haveria de tombar, haveria de aleijar-se, haveria de morrer. E o homem assomava mais nítido e o artesão recuando, suando de cansaço e frustrado, proferindo algumas palavras como a pedir que se acalmasse. Peço que tenha calma, nobre senhor. Peço que seja generoso com a minha necessidade de passar. Estou a trabalhar desde cedo, senhor. Estou cansado.

Por tentar afastar-se correndo para as costas, corria pouco. As canas ganhando largura, descompostas no arranjo compacto em que até então estiveram, os braços cedendo e a testa coberta de suor, lavando-lhe os olhos, como se chorasse também. Quando o corpo lhe chegou junto, o rosto exposto à reveladora luz, Itaro mais se amedrontou e disse: peço perdão, senhor meu pai. Peço perdão, senhor meu pai. E o pai o tocou em mão de ferro para o esganar.

O artesão todo se mudou, as canas largadas para qualquer lado, pisando-lhe os pés, complicando o passo, e assim se ajoelhou, pedindo continuamente: senhor, meu pai, me perdoe e me ajude. O corpo intenso do pai, furioso, novamente o agrediu. Itaro levantou-se e quis fugir. O pé do morto forte lhe acertava no rabo. Uma e outra vez, muitas vezes. Enquanto ele corria, nunca o suficiente para que o pé deixasse de o atingir.

Caiu diante do velho tronco, onde as violetas, sem explicação, estavam perfeitas. Ele mesmo as espezinhara. Descansara apenas depois de as deixar de mortas para toda aquela primavera. Mas o que o tronco acolhia eram as mais esplendorosas flores. Acocorado, as mãos estendidas a sentir o suave jeito das violetas, o homem estupefacto via a beleza por medo. Assombrado também pela beleza, que o fustigava de outro jeito. De outra estranha dúvida. Itaro ponderava a assombração.

O pai dissipara-se. Era uma promessa em toda a parte. Pensava assim. Que o pai era uma promessa em toda a parte. Ao tanto que as flores o magoavam, talvez o pai agora florisse.

Descera os braços.

Depois, voltou a mexer nas violetas e percebeu como havia um ínfimo charco no côncavo do tronco. Um bocado de água onde absurdamente uma flor de lótus se guardava. Era uma flor secreta, rosa, inventada por perfeição espiritual à sombra das vigorosas violetas. O artesão igualmente temeu. A perfeição espiritual era-lhe a mais dura das acusações.

Andou para casa a escolher palavras. Pensava que era como Matsu fazia. Escolhia palavras como se mudasse a realidade segundo o modo de dizer. Se o contasse em cuidado, mais cerca passaria da solução. As palavras mudavam tudo.

Perguntou: senhora Kame, fizemos o mais sensato. E ela respondeu: sim. Fizemos o mais sensato. A entrega de Matsu havia sido uma elevada sensatez. Falhavam entender porque haveria o espírito do velho pai de estar furioso.

A criada o pôs em preces e de imediato se lhe juntou, quando Itaro disse: meu pai caiu sobre mim como uma nuvem morta de voar. Igual a ter sido mordida por alguma cobra, a senhora Kame lamentou-se e doeu-se de tudo, prostrada também em perdões. Nunca se ouvira de um voo de nuvem saber morrer. E Itaro diminuiu: ou como um desmaio. Estava inteira sobre mim porque deixou de pairar. E ela perguntou: feriu, partiu ossos, apertou a cabeça, ficou torto. Ele respondeu: isso é difícil.

Era preciso que oferecessem aos mortos uma alegria. Acenderam os seus nomes escritos num papel e quiseram viajar numa vénia para diante deles. A criada dizia que um perdão só aconteceria por um fogo maior. Deveriam purificar a casa inteira. Sem lhe salvar o colmo. O pai ficaria feliz se lhe enviassem a casa.

A senhora Kame imaginava a menina Matsu abraçada aos enforcados por engano. Chamando-lhes irmãos com ternura. Descobrindo, lentamente, que continuava sozinha dentro do ensarilhado da floresta. A criada pensava que devia acender a floresta inteira até que sobrasse a montanha despida e, ao fundo, esperando, se visse a sua delicada musumé. Queria que a montanha se tornasse apenas pedra ou uma olaria, terra adulta, para ver o corpo inequívoco da menina e assim correr para o buscar.

A criada media as probabilidades de ofensa e dizia: estamos sensatos. Isso mantém a tristeza mas cuida da dignidade.

Abrigo

Ainda que corresse, a mudar de lugares e aos saltos, o pai era por toda a parte. A senhora Kame exclamou: ubíquo. Um pai em toda a parte, aparecendo e desaparecendo ao azar.

Adiantava nada que fechassem a porta e esperassem ser poupados às manifestações do mundo. As fantasmagorias transpunham-se paredes adentro, sem limites e, segundo as lendas, em fúrias muito tremendas. O velho zangado haveria de usar todas as artes da morte para se abater sobre o filho. E a criada repetiu: suplique. Segurava o incenso e dizia: suplique. Mas o artesão, por algum novo motivo, deixara de suportar a queima do incenso. Perdia a simples habilidade de respirar.

Deitou-se continuamente à pedra, enfeitou-a com as mãos, mexia-se, mantinha-se em prantos e a criada também. Que lhe dava instruções para uma urgente qualidade espiritual. Orientava-lhe os sentimentos, como a educá-lo finalmente, e ele resistia às coisas comuns. Habituara-se a abreviar as obrigações morais. Praticava o trabalho como se a dignidade estivesse completa no provimento. E agora tinha medo. Morreria cego e sem ninguém, com um pai derramado no mundo inteiro, a esmagar-lhe os ossos igual ao que ele fizera à cabeça irada do gato. A senhora Kame gritava: por compaixão, prometa retribuir, meu senhor. Prometa ser melhor. E o artesão nem reparava no que dizia. Repetia as palavras, a confiar nas palavras da mulher, e chorava com a impressão de estar doente, delirante, aflito de haver comido uma erva venenosa que por gula e engano apanhasse do caminho.

Ninguém poderia saber. Dizia Itaro, muito menino, abrigado sob o rosto levantado da senhora Kame. Ninguém poderia saber que o morto pai voltara para lhe bater. Estava por entender exactamente porque protestava o homem furioso. O artesão perguntava: fomos ajuizados, fomos sempre ajuizados. A criada respondia: muito lhe pediu seu pai que poupasse a vida dos bichos.

Mais tarde, a senhora Kame conversou secretamente com Saburo. Disse-lhe: ficou aos meus pés, abrigado sob o meu rosto. Pobre musuko. O oleiro respondeu: pobre senhora Kame.

Enquanto os dois vizinhos magicavam forma de se matarem, a senhora Kame, incauta, ficava entre os dois à míngua da esperança.

Como se uma nuvem desmaiasse ou morresse de voar. Quando se abateu sobre Itaro, e sobre todo o campo em redor, esfumou. Tornara-se nada. O único que se via eram as canas que o meu rapaz colhera a encalharem aqui e ali, nas pedras por onde a água corria. Contava assim a mulher. Saburo considerou que a mísera criada sofria de uma triste ignorância para amar.

A corrupção da prece

O oleiro remendou o quimono da senhora Fuyu e, a meio de uma tarde, no intenso sol, voltou ao espantalho e o pendurou. Uma brisa se fez propositadamente para cumprimento à senhora que regressava a contar pássaros. E os pássaros desciam um pouco, a brincar chilreando, e a primavera festiva punha um bocado de alegria no coração do viúvo.

As pessoas escutavam acerca da generosidade de Itaro, que encontrara o quimono rasgado no canavial e se aventurara pela terra alagada para o recuperar. Assinalavam o seu empenho e compreendiam que haveria de melhorar da tristeza também. Depois, lembravam a menina cega e regressavam ao trabalho.

À noite, Saburo e os seus amigos, alterados de algum sake, abordavam o assunto do sabre, essa amizade a zangar. Diziam a zangar porque pressentiam no cordial homem uma pulsão para se mudar como se quisesse ou gostasse de ter um inimigo. Saburo encontrava pretextos. Saía aos campos com medo, explicava, andavam bocas a ferrar ao acaso, era cada dia um convite à morte. Que perigo, exclamava, que enorme perigo enfrentamos tão junto do esplendor da montanha. Mas o perigo era um costume, tinha mais de modo de ver do que de fazer. Faziam nada. Observavam as coisas e detectavam bulícios e humores ínfimos. Ninguém se armava para andar ao trabalho. Era indecoroso, descontrolado, entristecido. O oleiro pedia perdão pelo susto aos aldeões. A sua vontade apenas queria cuidar do mundo. Mas dormia apoquentado com a solidão e o crescente tamanho do amor. O amor, na perda, era tentacular. Uma criatura a expandir, gorda, gorda, gorda. Até tudo em volta ser esse amor sem mais correspondência, sem companhia, sem cura. Que humilhante a solidão do amante. O oleiro disse assim: que humilhante o coração que sobra. O amor deixado sozinho é uma condição doente. Os amigos deviam pensar em Saburo como um homem doente. Alguém disse que perdia as prudências. Alguém disse que guardar prudências era poético. A normalidade destituía cada pessoa dessas demoras ou enfeites. As pessoas cuidadosas ou delicadas eram enfeitadas. Essas coisas eram como adornos no modo de ser. O oleiro mais se explicava e acabavam por rir e brincar como guerreiros. Eram samurais interiores. Uns ridículos samurais de brincar que aconteciam por fantasia para se ensimesmarem perante tanto que a vida lhes tirava.

E alguém perguntava: talvez lhe desse maior prazer saber para onde mirar e cortar. Sim, para onde apontar o sabre e cortar. Era o que pensavam todos. Que para se melhorar da perda da senhora Fuyu o oleiro imaginava a vingança, o pior dos atentados contra a decisão da natureza. Um dia, comentavam, vai abrir as pedras para as punir. Um dia vai abrir as árvores para as punir. Um dia vai abrir as águas para as punir. Um dia vai ser punido. Quem quer matar. Perguntavam. Ele escapulia-se por palavrinhas descomprometidas. Pensavam todos que o educado oleiro nem saberia o conceito de matar. Infelizmente, conhecia com propriedade o de morrer. Mas estava sempre mais velho, celebravam que a morte fosse uma ciência. Que bom que era uma ciência chegando. Bebiam, levantavam as taças e as entornavam um pouco, as bocas abertas numa contenteza linear.

Os amigos de Saburo concordavam mais e mais e preparavam-se para negar todo o bom senso. Já repetiam que era esperto sair armado às flores, se as flores eram porta dos animais todos do Japão. Saburo san, seja piedoso com o Japão. Saburo san, seja piedoso com as pessoas do Japão. Saburo san, celebre a origem do sol. Riram mais. O homem empunhou a mão ao ar e imitou ser um indivíduo em guerra, como se dançasse. Fazia uma graça, um velho pleno de graça, a dançar para matar ou morrer. Haveria de celebrar a origem do sol e as pessoas e os animais. Ele haveria de embelezar todas as evidências para melhorar a animosidade do mundo. Deixava a taça de sake no pequeno altar de sua casa, entendia que estar com aqueles amigos era uma prece. Haveria de melhorar a animosidade do mundo, repensou. Era verdadeiramente o herói que nunca desistiria.

Um homem gritou que urgia que fossem às gueixas. Às mais belas e instruídas de Quioto. Alardearam, alguém se pôs de pé, agora, agora, agora, gritava. O quimono da senhora Fuyu pendurado era a única mulher presente e o homem de pé o tomou e afinou a voz para ser belo e prometeu uma noite gentil com cada um. Conversaremos sobre guerras dançantes. A gueixa falsa disse. Os outros responderam: que linda. Ele mostrava as pernas tão feias e os outros reagiam: que linda, tão perfeita gueixa existe na terra de Quioto.

Mas Saburo crescia na perturbação. A voz do amigo intrusava na silente morte da sua esposa. Era uma voz parasitária que deturpava a pureza daquela mulher espiritual. O oleiro alimentou-se do ar e disse: a minha mulher espiritualizou-se. A minha mulher, repetiu. Quando dizia que a senhora Fuyu lhe pertencia, sentia que estava perto de mentir. Ter uma mulher que morrera era perto de ter nada e dizer apenas uma mentira. Por isso, seria razão porque doía tanto. Falava e doía, igual a usar contra si o tenebroso sabre ali tão junto à atalaia. O amigo que imitava ser belo, desdentado num sorriso que imediatamente fechou, envergonhou-se em perdões. Perdão, Saburo san, venerável amigo viúvo. E os outros fizeram um círculo que se precipitou sobre o quimono e o foram pendurar novamente, ajeitando-o, como a recompor a figura de alguém paralítico, a figura de alguém adormecido. Baralhados com o álcool, vexados pela brincadeira, enumeraram pretextos para se irem embora. Boa noite, Saburo san, obrigado, muito obrigado. E o oleiro lhes fazia uma vénia, subitamente mais distante para o interior da sua cabeça, mais distante para o fundo da solidão. Estar sozinho já se tornara uma condição de ser quem era, mais do que uma circunstância da vida. Tomou o quimono e o jogou por sobre o corpo. Deitou-se assim. A sua esposa sem defeitos tocava suavemente. Era a mais suave mulher do Japão.

    Saburo, de sabre e de vingança à espera, era um homem enfeitado. Continuava com delicadezas e cuidados. Um menino. Pensava. Os meninos, por impulso, erravam muito. Mas até um erro poderia ser encantado. Quase esboçava um sorriso quando, lentamente, adormecia. Se respondesse, diria: sorrio porque lembro da minha mulher. E diria: porque me haverei de vingar. Talvez dissesse: o deus dos erros me entenda. Um deus que exista só para os meninos. Que me entenda, por favor. E adormecia com a felicidade complexa dos que se justificavam pela tristeza.

A súplica

A senhora Kame declarou que o desgraçado artesão devia pedir ajuda ao monge. Que lhe fosse bater à porta, humildado e de medos sinceros, a discutir purgas para as acções. Tinham nenhuma suspeita do mal de que padeciam, estavam confusos. Eram virtuosos e confusos. Pobres de todos os modos, uns restos.

Assombrado pelo pai, era evidente que o Japão se revoltava com o cidadão dos belos leques.

O artesão, abandonado ao juízo da mulher, acedia. Afirmava que sim, que iria ao sinistro monge mendigar-lhe a voz. Irei, farei como manda, senhora Kame. E a criada dizia: de rosto no chão, para toda a piedade possível. Antes que visse as cerejeiras eufóricas. Antes que visse o rosto da morte. Itaro lembrava-se, haveria de mendigar de rosto caído. A mão estendida para a generosidade dos homens de bondade. Junto ao castelo de Nijó, o mais cerca do palácio de Ninomaru que lhe fosse possível. Por desígnio do espírito divino.

Ao sair à casa do monge, o artesão procurou Saburo e lhe perguntou se de verdade havia sido ele quem o tangera na floresta. O oleiro começou por responder: isso é difícil. Itaro insistiu. Saburo negava. Nunca seria condescendente com o artesão, mas também se escusava de maior confusão. Declarou: saí à floresta para te matar.

Arrebatado por esse sentimento, saí. Mas o juízo sobrevém à raiva. Esperei o suficiente para que me rendesse à amenidade de sempre ou à decrepitude. Foi o melhor. A tua vida morre de qualquer maneira. E eu guardo-me de remorsos ou cansaço. Itaro novamente lhe perguntou: de verdade que outro me tocou na floresta. E o oleiro respondeu: de verdade. Podes partir com o meu ódio mas sem a minha condenação. Haverás de condenar-te sozinho. Porco.

Itaro ajoelhou-se, deveras encostou a cabeça à terra, e gritou por ajuda. Dizia que o pai lhe tocara na floresta e o buscara no estreito do caminho pelo curso de água. A porta do monge abrira-se e o artesão continuamente se humilhava, sem se mover ou ousar encarar o homem. Alguns criados apareciam e também se consternavam, apoquentados com saber se o grande mestre atenderia à conversa de Itaro. E entravam e saíam, a fazer perguntas e trazer respostas, cheios de passos, preocupados.

Quando o monge o recebeu, nos tatames imaculados do largo aposento se via um besouro. Itaro imediatamente o percebeu e se admirou. O insecto caminhava lento no mesmo lugar, sem grande desvio, apenas revelando estar vivo, igual a ter uma invisível corda atada às patas. O monge, calado, sentava-se e, sob a veste fechada, era como uma pedra pontiaguda que se pousasse sem ninguém. Itaro esperou. Sem conversa, o artesão abeirou os olhos do besouro e duvidou se o deveria matar ou poupar. Que estranho teste seria o do escondido monge. Decidiu fazer nada.

Ao fim de um tempo, a voz radial ordenou: ficarás sete sóis e sete luas no ventre puro do Japão, onde estarás salvo de assombrações e trabalhos, onde te servirá para a fome apenas a piedade do povo, e onde meditarás solitário e sem expressão. Itaro, que todo inteiro se contorcia com a pronúncia do sábio, pasmou. O velho monge ordenou: só te compete aceitar ou recusar. Itaro disse: sim.

Naquele instante, o besouro voou e saiu ao ar claro do dia.

O monge acrescentou: sete sóis e sete luas no fundo do poço, sem mortes nem erros. Apenas a intensificação da paz. Itaro disse: sim.

Trouxeram chá.

O artesão serviu-se e teve a sensação de ser ocupado por alguém. O chá o percorreu como invasor. Estava habitado, acompanhado, vigiado. Itaro aceitou que o velho sábio era uma superioridade da consciência.

Disse: venerável senhor. Olhou timidamente e disse: obrigado, venerável senhor.

Sob as rendas espessas, o artesão viu o peixe dourado e calmo que se movia como solar à cintilação do dia. Era um peixe calmo, belo, dentro de água. O velho monge era um pedaço de água ao qual se deitaram rendas.

Estava ainda mais pequeno. Era sem corcunda. O calor do verão claramente lhe causaria de a água evaporar. O sábio diminuía.

Olhar para sempre

Imóvel, Itaro via partindo. Ver era um modo de ir embora ou de olhar para sempre. Queria que fosse colheita. Queria que as imagens se capturassem sem devolução, sem empréstimo, mas o exercício dos olhos era vazio. Tinha nenhum recipiente, nenhuma reserva. Sem tangibilidade, ver humilhava a memória, que nunca recuperaria a completude de coisa alguma. A memória era o resto da realidade. Uma sobra que mutava para a ilusão com facilidade. Tinha-se obcecado com a ideia de arrancar as imagens pelo pé igual se fazia às flores. Arrancá-las pelo pé para enfeitar o dentro dos olhos. Como se houvesse ali um compartimento infinito para acomodar céus inteiros e bichos, leques perfeitos e a transparência das águas. Passaria a ter um olhar cativo. Aprisionado por gula e direito nesse interior. Talvez até seguisse pintando. Pintaria a exactidão do que capturara antes da escuridão. Imóvel até que o temporal acalmasse, Itaro via como quem avidamente caçava.

A lenda do poço

O poço tinha dez tamanhos altos de um homem e era estreito entre terra, húmido, atendido por uma nesga de luz avara, sem valer de auxílio nenhum. Desceram o artesão por uma corda agarrada a quatro homens e logo lhe puseram um pouco de arroz numa sacola e lhe recomendaram pensar para se moderar nas fúrias e na fome. E o artesão descia aos trambolhões, aleijando-se, muito mal preparado para ficar sozinho e para ter medo de ficar sozinho.

As pessoas espreitavam, algumas até rindo, porque Itaro tornara-se um anão e depois invisível e triste, criança carente no escuro poço. Mas era porque se arreliara com as sortes, diziam todos. Julgavam que pagaria por haver destruído as flores. E as pessoas espreitavam e já só ouviam a sua voz, e o artesão acomodava-se no sujo do fundo, assustando-se com barulhinhos indistintos, zumbidos de surpresa e a oficina dos bicharocos moradores debaixo da terra. Depois, começaram a ir-se embora e despediam-se com boas sortes e outros desejos, apagavam as vozes afastando-se pelos campos. Itaro logo deixara de as ouvir, intensificando o silêncio peculiar do poço e melhorando a definição da cúpula de luz que lhe parecia uma roda de céu pousada no chão. Enterrado como estava, o céu descera e se pusera no lugar onde os outros assentavam os pés. Todos menos ele.

À última voz apagada, uns instantes de nada depois, o artesão observava a luz e um vulto calado se inclinou para também espreitar. Era maior, como agigantado pelo dobro de um homem, a cabeça afundando um bocado para se inteirar da presença de Itaro, onde estaria na espessura negra daquela sombra. E estendeu um braço, atirado ao acaso a ver se catava algo, como quem buscava no fundo de uma toca, no dentro de um tronco oco. O artesão encolheu-se, embora nenhum braço do mundo se estendesse por dez tamanhos altos de um homem. Encolheu-se e procurou ver melhor mas via mal. A figura caçadora ficava à contraluz, era um borrão negro que se movia, um charco de tinta negra a sujar o céu. Falava nada, apenas se esforçava por agarrar num pedaço de corpo de Itaro, uma orelha, a mão levantada, uma perna se ele estivesse de pernas para o ar. O estranho homem deitar-lhe-ia as mãos e o arrancaria igual a arrancar um parasita agarrado à pele da pedra. Itaro aninhou-se para se distanciar de ser apanhado e, de repente, viu. Era o morto do seu pai, atabalhoado e incansável à sua procura. Mais se afundou e tremeu, até se lembrar do que dissera o severo monge, que no ventre puro do Japão apenas meditaria, porque nenhuma assombração era admitida no símbolo de origem do mundo. Assim que o pensou, o pai apagou-se de cima. O charco vazara para as águas de outro lugar. Itaro ficou verdadeiramente só.

Entendeu que se fosse maltratado naquela reclusão haveria de ser por ameaças tangíveis, o que lhe daria tempo para a purga espiritual e a sensibilização para o remorso. Aquietou-se, guardou junto ao peito o precioso arroz, e viu a lentidão do dia e a profundidade da noite.

Adormecido de exaustão, o artesão falhou escutar o ruído de algum bicho abeirando-se da boca do poço. Andava por ali algum animal farejando, a matutar na carne fresca do homem, certamente planeando gulodar-se com ele por dentadas fartas. Chegada à abertura no chão, a cabeça do bicho se enfiou a fungar o odor saboroso do artesão e uma pequena pedra se soltou da beirada, a cair no fundo secamente. Mas Itaro ausentara-se, provavelmente a sonhar com os sabres erguidos e as cabeças decepadas dos ímpios na defesa do Japão contra os povos bárbaros. Sonhava que mataria os bárbaros chegando às portas marinhas do Japão. Depois, outra pequena pedra caiu e o bicho queria entrar um pouco mais, muito lhe parecia que a refeição distraída faria valer a pena tanta coragem e flectiu as pernas ligeiramente quando, sem contar, outras pedras esboroaram por sob as suas patas e ele inteiro chegou num salto junto de Itaro que, apavorado, despertou e gritou: mato. Eu mato. Então, escutou o gemido ferido do animal. O artesão levantou-se, procurou impossivelmente trepar paredes acima, o corpo peludo e quente do predador ocupando um espaço grande no esconso fundo do poço, e ele julgando que lhe haveria de entrar boca adentro se ficasse ali. No alisado das paredes nada servia de degrau. A cada pequeno pulo Itaro regressava ao fundo, por vezes calcando as patas ao animal caído que, por maior dor, guinchava. Parou.

O bafo largo do animal revelava-lhe o porte, mas a densidade do escuro escondia tudo. Estavam como dois ruídos inimigos em lugar nenhum. Saberiam nada mais do que o ruído e o odor de cada um. Mediam a mútua coragem e o mútuo medo sem se poderem ver. O artesão pensou. Se o predador estivesse capaz já o teria mordido avidamente. Por isso, talvez se salvasse se lhe evitasse a boca pousada para um ou outro lado. Fez contas. A respiração aflita do companheiro vinha da sua esquerda, precisava claramente de conservar-se à direita, longe de dentes, mais seguro. Julgou que à luz do dia veria o inimigo e alguém o acudiria. Se lhe descessem uma lâmina haveria de a enfiar nas tripas nervosas do bicho e o saberia morto. Poderia descansar na sua provação, que era já coisa bastante para o arreliado do espírito que costumava ter.

A noite toda se foi medindo no exíguo espaço e prestou atenção àquela aflição contínua. Mas, com o dia, seguiu sem ver. A roda de céu que declinava ao chão transbordava, pelo que quase nada baixava. No fundo tão fundo eram só cegos. Foi quando Itaro distinguiu lucidamente o que lhe ocorria. Estar no fundo do poço era menos estar no fundo do poço e mais estar cego, igual a Matsu, a sua irmã. Estava, por fim, capturado pelo mundo da irmã. A menina habitava o radical puro da natureza.

A senhora Kame, cedo, gritou: senhor, vivo. Perguntava. E ele respondeu: sim. Preciso de uma lâmina, urgente. Um sabre, uma arma. Há um animal terrível aqui em baixo. Veio para me devorar. E o que devorou, perguntou a criada num susto. O artesão respondeu: nada. Geme. Estrebucha, que eu bem o ouço, mas vejo nada. A senhora Kame perguntou: e que bicho é. Itaro repetiu: vejo nada. Estou a fugir-lhe à boca, desconheço que força tem.

Era melhor que atassem o sabre a uma corda para o baixarem sem desastre. Algumas pessoas surgiram a ver como fora a noite, se ainda respirava o artesão assustadiço e destituído da razão comum. E davam opiniões. Ao escuro da cova, invisível o pensador, as pessoas atiravam palavras como pedras. Supondo-se protegidas, diziam o que nunca diriam, e discerniam da vida dos outros, cheias de uma lucidez social que ridicularizava o artesão e a vergonhosa situação em que se metera. O sabre baixava na corda e alguém declarava que Itaro, dado a raivas de cão, ainda se furaria sozinho durante uma qualquer loucura. Era melhor que lhe mandassem comidas e um balde de água fresca. Era melhor que o cobrissem de orações. Para que meditasse, deveras, para que hesitasse sempre. A senhora Kame explicava que havia um animal feroz no fundo do poço, aleijado, gemendo, mas de boca desconhecida que certamente engoliria o seu senhor numa fome terrível. E as pessoas gritavam para que Itaro respondesse: que bicho é. E ele dizia: é grande, peludo, ao menos de quatro patas, respira fundo, aquece o ar, cheira mal. Cheira muito mal. Está imóvel. Abre e fecha a boca, tem dentes. Ouço-lhe os dentes a ferrar. E alguém perguntava: ferra em quê. E o artesão respondia: em si mesmo. Parece-me que ferra à deriva no ar. Se me apanha, se me apanha.

A senhora Kame gritou: mandem-lhe o sabre. Mandem-lhe o sabre.

Alguém gritou: mas se o monge o proibiu de matar.

Todos se suspenderam.

O artesão escutou tal coisa e pensou que estava proibido de matar. Talvez fosse intenção do velho sábio levá-lo perto de morrer mas nunca ao ponto de matar. Só devia pensar. Lembrava. Quando questionou acerca do que faria, o homem intuitivo lhe disse: pensa.

O ventre puro do Japão era avesso ao homicídio.

Subiram o sabre sem que Itaro lhe tocasse e disseram: apazigua-te com ele. Queriam dizer que devia explicar a paz a um bicho feroz.

Como se entendesse a sua sorte, o animal invisível gemeu, talvez de alívio, talvez suplicando, sem que se pudesse ainda mover. O artesão espremeu-se o mais que pôde à parede do poço e chorou. Em algum momento dos sete sóis e das sete luas haveria de o animal se levantar e, esfaimando inevitavelmente, sentiria necessidade de o comer. Agarrado ao arroz, junto ao peito igual a levantar muito um tesouro do chão, Itaro entendeu que a melhor prudência para aquele assustador convívio era acabar com a fome do companheiro.

Começou por calcular que talvez gesticulasse o pescoço. Estudou bem o ruído da respiração, era certo que, em algumas alturas, se ouvia mais vertical, como se o bicho olhasse também a nesga de céu no alto. Na maior parte do tempo o animal respirava mais junto ao chão, rasteiro, provavelmente de cabeça deitada. Aceitou como verdadeira a capacidade de o animal mover a cabeça, nem que custosamente, e decidiu que depositaria o arroz algures onde lhe pudesse chegar. Faria todas as contas quanto ao som, esticaria um braço no mais alto que conseguisse, e atiraria o naco de arroz de uma só vez. Se tivesse sorte, aterraria junto à fome do bicho e este se acalmaria um pouco.

Itaro ponderou que, se conseguisse manter o companheiro vivo, ao ser subido do poço ficaria livre de censuras. Era bom esperar que o animal tivesse partido os ossos, haveria de estar desorganizado no interior do saco da pele, talvez nunca mais caminhasse ou pudesse sequer gesticular os membros. Quando subissem o artesão, o destino do animal era nenhum assunto seu. Andaria para casa limpo. Pensava. Andaria limpo.

Levantou o braço, atirou o arroz e imediatamente a boca do animal ferrou. Teve nenhuma dúvida. A pressa em mastigar, os dentes batendo, a respiração ofegante de quem se satisfazia por urgência. Itaro fizera as melhores contas e assegurava-se, inclusive, de que prostrado na mesma posição o animal valia-se apenas da boca. Como suspeitara, espremer-se no oposto daqueles dentes explicava a sobrevivência. Congratulou-se.

Naquele instante, uma pedra caiu pelos dez tamanhos de homem, acelerando, e bateu primeiro no chão e depois na perna de Itaro, que se esfregou com dores. Havia alguém lá em cima. O artesão olhava e, sem entender imediatamente, outra pedra correu por si, a bater-lhe no ombro rudemente. Itaro gritou: quem é. E Saburo respondeu: o teu fiel inimigo. Se uma pedra lhe caísse por cheio na cabeça certamente a abriria em duas partes. O oleiro, no entanto, foi-se embora. Itaro gritou: maldito. Maldito velho. Talvez sangrasse do ombro. Sentiu-se miserável.

O sol foi-se retirando do fundo alto e Itaro sentou-se junto ao seu bocado de parede e afagou as pernas para que se menorizassem tanto quanto possível e aguardassem vivas o dia seguinte. A noite punha-se elevando os ruídos ínfimos. Aquilo que faziam os insectos e rastejantes era mais bem detalhado pela solidez da noite. Zumbidos intermitentes de seres a desfazerem raízes ou a abrirem passagem entre as terras. Alguns bicharocos passavam a pele de Itaro sem agressão. Encontravam-no a caminho de outro lugar, provavelmente infelizes com o obstáculo do seu corpo, e desapareciam tão depressa quanto podiam. Atento a esses atarefados bicharocos, paulatinamente Itaro se concentrava na respiração maior do predador com quem dividia o poço. Com o tempo, talvez depois de amansada a fome, o bicho soava mais sossegado. O artesão chegava mais perto do que poderia ser um urso ressonando. Queria dizer, um animal a descansar. Escutava aquele cadente e sonoro compasso e convencia-se de que o companheiro se acalmava.

A senhora Kame lhe descia o arroz e ele pedia que descesse mais. Alimentava o desconhecido, certo de que se amigava ajuizadamente do perigo. E assim se passou um novo dia. Alumiado apenas o topo do poço, longe, muito longe, sem ninguém. E o artesão descontraía as pernas, habituado ao tamanho do companheiro e à sua quietude. Chegava a ser-lhe agradável que a solidão fosse assim dividida. Embalava-se no ruído daquele bafo e adormecia.

Saburo atirou uma pedra e a queda parecia afiá-la e dava-lhe o peso de uma montanha. Se tocasse em Itaro haveria de o esmagar. Tocou no animal que vociferou até se mover descontroladamente. O artesão gritou: maldito. Vai-te embora, maldito demónio. E o oleiro atirou outra pedra e foi embora.

Itaro pensou que a escuridão só se equivalia de verdade sem obstáculos. Como se fosse um céu infinito por onde os pássaros poderiam desimpedidamente voar. A escuridão precisava de acontecer apenas aos pássaros. Ponderou. Livremente se encontrariam pelo chamado uns dos outros, e qualquer lugar seria equivalente. Pensou que imerso no mundo escuro de Matsu lhe faltava afinal a imensidão. Nem toda a escuridão era imensa. Recostou-se, assegurou-se de que o seu predador se mantinha de boca contrária, apontada para o oposto do poço, e amargou lentamente até voltar a saber dormir.

Sonhou que um tigre imenso se elevava ao ataque dos seus inimigos e os devorava. Sonhou que esse tigre, tenaz e imparável, se abatia sobre os mais terríveis homens e os separava das cabeças, mãos, pernas, espíritos injustos. Itaro avançava como se fosse o resto do tigre, uma dimensão da sua fúria, uma fúria nunca menor. E regozijava na expectativa pela vitória. Salvar-se-ia de todos os sabres. Via sempre melhor e cintilavam os seus olhos, perfeitos, vivos. Itaro sonhava que um imenso tigre era seu guerreiro, auferindo da mais valente natureza para sua protecção. De alegria, o artesão despertou.

Longe ainda do dia, nem a nesga de céu lhe explicava qualquer diferença entre cima e baixo, lado e outro. A escuridão era um impreciso espaço que lhe tornava impreciso também o tempo. Soube mal se permanecia no sonho ou se regressara ao desconforto da vigília. Então, sentiu.

A cabeça do animal se pousara sobre a sua perna. Um pouco acima do joelho, no mais largo da coxa. Era o som todo da respiração que lhe chegava de perto, e o tremor que resultava da ressonância dos seus pulmões, um arrepio intermitente que lhe provavam que o predador se tomara do seu corpo para um conforto inusitado e, certamente, matador. Teria sido por impulso da pedrada. O animal pedia piedade ou aprontava-se para o ataque. Itaro hesitou. Se recuperasse a sua perna em descuido, a cabeça do animal bateria fortemente no chão e talvez isso o enraivecesse e o motivasse à força para morder. Sem saber como se posicionaria agora no poço, podia acontecer de desconhecer para que lugar melhor fugiria, se houvesse de poder fugir. Demorou-se. Era a prudência que o mandava. Talvez nem o animal se apercebesse de usar o corpo do inimigo para se acomodar, ao invés de o ferrar de imediato e se valer da nutrição inestimável da carne.

Assim ficaram. O artesão notando que o fôlego do bicho se mantinha inalterado, era um engenho mecânico de ritmo rigoroso, como se independesse de humores ou vontades. E a luz se pousou no cimo do poço.

Discutiu com quem assomava a saber de si o que fazer. Poderia perdurar naquela posição mas seria impossível descobrir como alimentar o predador. Se houvesse de lhe atirar o naco de arroz para perto da boca, a boca inteira estaria ao seu colo e a fome levaria bocados seus à mistura com a oferta que viajara pelo ar. E algumas pessoas comentavam que o artesão estava a morrer lentamente, sem acreditar nisso, claramente se afeiçoava à morte. Seria por seu destino, diziam, para se absterem de lamentações. Reconheciam apenas o original de cada morte. E afirmavam: aguarda. Em mais uma noite o bicho morre. Eram da opinião de que devia jejuar. Abster-se de mexer em comida para que ficasse o inimigo sem se atiçar por motivo nenhum. Que jejuasse corajosamente e aguardasse a finitude do predador. Deve estar a acabar. Diziam. E pensavam que acabariam um ou outro. Era o espírito do mundo a decidir.

Itaro pressentiu algum sossego no deitado do bicho. Às escuras, o bicho era igual. Sempre igual.

Encostado à parede do poço, gesticulando quase nada e mandado aguardar, o artesão calou-se e adormeceu.

Quando despertou, a cabeça do inimigo estava seguramente deitada no seu peito. Itaro petrificou. O próprio bafo do animal lhe bulia os cabelos de tão próximo. O inimigo poderia devorar-lhe o rosto ou beijá-lo.

De susto, custou a entender que tudo seguia igual. O bicho respirava na mesma pressa. Que era já uma pressa apaziguada, como se esperasse também. Devagar, prestou atenção. Se fosse de o devorar, tê-lo-ia morto no sono, sem aviso nem piedade. Então, Itaro sentiu que a sua mão esquerda estava junto do corpo do animal. Podia, num ínfimo gesto, tocar o seu pêlo quente. E largamente o animal escorria pelo deitado de Itaro também. Se o artesão movesse a mão ficariam perto de um abraço.

Atónito, o homem no poço julgou que se mantinha quieto quando, por força maior, amaciou o inimigo como se faria a um gato.

Pelo direito da coluna, tinha de ser outro bicho, nunca um tigre. O artesão enganara-se nos sonhos fantasiando o seu herói. Tinha de ser um animal mais levantado. Talvez capaz de se pôr de pé. E o peso da cabeça era considerável. Maior do que a sua. Entendeu bem. A boca aberta lhe daria para a cabeça inteira.

Era um bicho tremendo. Itaro temia.

Era gigante e, afinal, podia mover mais do que o pescoço, de outro modo nunca se ajeitaria estranhamente no subido do seu corpo.

Era um inimigo a hesitar. Pensou assim o artesão. Atacaria com paciência. Gostaria de começar por atacar o medo.

Itaro recolheu a sua mão e notou que enfraquecia de tanto jejum. O seu estômago refilava de fome. Faria ruídos ao ouvido do animal que tomaria conhecimento da decadência covarde da sua presa.

Vieram as pessoas e perguntavam se continuava vivo e o artesão queria falar mais baixo para inchar nada o peito e alardear o inimigo. Respondia pouco. E lá em cima discutiam como já deveria ter sido mordido.

A senhora Kame pedia que descessem a buscá-lo, para que sobrasse nem que apenas um pedaço que servisse de companhia. Um bocado sobrevivente. Itaro tinha vocação para ser tão pouco. Mas ninguém desceria. O mando do monge ainda estava por terminar e, subitamente, ouviam o artesão afirmar que vivia. Estava vivo, escutavam bem. Então, alguém mandou que se calassem todos. Era importante que atentassem nas poucas palavras de Itaro.

À fome, Itaro disse: arroz.

Sabia que o naco de arroz mal caberia no oco que separava a sua da boca do animal. Se hesitasse em morder, por certo o inimigo comeria tudo. Ao morder, por outro lado, mais se mexia sob as mandíbulas do desconhecido e mais se propunha para morrer.

E no cimo do poço consideraram o risco e entenderam a fome, como se lamentassem a contingência física de se comer e se despedissem do artesão. À míngua de comida que chegasse ao peito de Itaro, o exagero da boca inimiga haveria de o incluir. E a criada tomou a cara nas mãos e chorou. O artesão, por seu lado, pensou que se tomasse o naco de arroz e o jogasse para o oposto do poço o animal esfaimado se levantaria do seu peito e se mudaria. Desceriam a comida no pequeno balde, assim a atiraria. Encolhendo as pernas para que nada se confundisse com os seus pés.

Quando tomou aquele bolo na mão, naco grande que decidiram enviar para bastar aos dois, imediatamente lhe caiu. Ficou-lhe sobre o peito, no curvo do pescoço, e logo o bicho se moveu.

A boca do desconhecido escolheu o arroz de entre as formas do corpo de Itaro. Como se visse, e certamente perfeito no faro, o animal procurou o alimento, babando e fungando mesmo por detrás das orelhas do artesão, que gelou.

Itaro esqueceu-se de tentar comer. Perplexo, atentou apenas no modo como o animal se movia enorme e laborioso em torno do seu pescoço, no apertado do seu peito. Até voltar a deitar-se e sossegar.

A barriga do homem percutia e piorava.

Lá de cima perguntavam se estava tudo bem. A princípio, o artesão calara-se porque lhe parecia escapar entre pingos de chuva. A cada movimento o inimigo poderia arrancar-lhe a cabeça, comer-lhe o coração. Julgaram que estaria morto, assim devorado entre o arroz. A criada em prantos impedia que melhor se ouvisse. Acreditavam que se o artesão expirasse haveria de soltar um último grito, essa coisa de som em que vai o espírito expelido de modo bruto. Mas ouvia-se nada. E continuavam a perguntar: Itaro. Até que ele respondeu: estou bem. E pediu mais comida.

O balde voltou a descer e o homem melhor tomou o naco de arroz e o pousou no peito imediatamente escolhendo parte e comendo. O bicho, por sua vez, fez nada. O artesão voltou a escolher um bocado e comeu. O bicho fez nada. Quando Itaro se encheu e o resto do arroz ficou no cimo do seu peito, como que gentilmente o animal se moveu e comeu. Nesse momento, o homem aproximou a mão esquerda e, firmemente, amaciou o pêlo espesso e se convenceu de abraçar um inexplicável urso. O urso, se o fosse, suspirou.

Quando todos foram embora, Saburo chegou ao poço e atirou uma pedra a bater violentamente na cabeça do animal, que gemeu estrondosamente numa dor incomensurável. Itaro, furioso, melhor segurou a cabeça do inimigo e escusou-se de gritar. Talvez o horroroso oleiro se convencesse de que morrera. Talvez se abstivesse de atirar nova pedra. E assim foi. Saburo julgou abrir em partes a cabeça do artesão e foi para casa a repensar-se enquanto assassino.

Nessa noite, convencido de que o animal dormia, Itaro seguiu amaciando-lhe o pêlo e estudando o feitio dos seus ossos. Era inegavelmente esticado, longo e talvez conseguisse a graça de ser fugazmente bípede. Tinha pernas delgadas, seriam mais próximas das dos tigres, mas os tigres nunca se esticariam daquele modo. Precisava de ser outra espécie de animal. Acalmara muito a respiração ofegante. Gastava menos o ar, esfriava um pouco, talvez perdesse o febril dos primeiros dias. Abrandava, poderia melhorar a sobrevivência. Itaro cautelosamente auscultava o corpo grande do inimigo e mantinha a esperança de sair dali vivo. Pensava, a tolerância do bicho à sua vida haveria de ser o perdão que lhe prometera o monge. Sorriu.

Adormeceu.

Sonhou que um urso gigante devorava os seus inimigos. Um urso belíssimo, erguido em duas patas e a caminhar vertical, se abatia sobre os seus inimigos, matando-os e matando-lhes os cavalos abandonados. Itaro sonhou que o urso matava segundo o seu desejo, furioso no centro de Quioto vingando-se de todas as humilhações, punindo os clientes cínicos, gratificado com o sangue espalhado por toda a parte. Nenhum sabre se aproximava dos seus olhos. Os seus olhos prosseguiam perfeitos. Limpos. O mundo aparecia-lhe cristalino, como se visse melhor, como se visse apenas beleza. Sonhava eufórico. Até que o urso mordia Saburo e Itaro lhe pedia: mais. Morde mais. O animal triturava cada pedaço do oleiro e o oleiro suplicava por fim alguma misericórdia, mas Itaro mais regozijava com a súplica. Ordenava que o urso continuasse, até ficar pelo chão apenas a mancha húmida que sobrava dos corpos absolutamente desfeitos, como acontecia com os besouros. Então, o artesão se debruçava sobre a larga mancha do sangue e a presciência de que era capaz lhe dizia que a glória havia chegado. O futuro oferecia-lhe a honra rica e aquela cínica ternura a que chamavam de felicidade.

A euforia acordava o artesão. A meio da noite, apenas o ruído da respiração do inimigo e o zumbido habitual dos insectos e mínimos rastejantes, Itaro despertou e sentiu como o animal se lhe encostava pelo corpo todo, deitada a cabeça no seu ombro, como poderia dormir uma mulher apaixonada. O homem estava num abraço com o longo animal, que certamente sossegava no sono, pacificado com a companhia da sua presa. As mandíbulas do predador juntavam-se à orelha de Itaro que escutava agora aquela respiração igual a ser interna, tão perto, tão terrivelmente perto que o mais ínfimo movimento lhe encostaria a cabeça à cabeça do animal.

A mão esquerda no dorso do bicho comprovava o abraço. O artesão, atónito, pensou.

Porque haveria de o seu predador demorar na amizade. Perguntou-se.

Era-lhe muito claro. Intuía o bastante para saber que se devorasse Itaro nenhuma sorte o levantaria do fundo do poço. Se quisesse atonar ao mundo, para o terror de que faria a sua fome habitual, urgia conquistar a inocência do artesão. Para que o artesão o carregasse na subida, a devolver-lhe a liberdade, como quem lhe devolveria a maldade. Itaro profundamente pressentiu e considerou tal coisa. Se carregasse consigo o animal, do mesmo modo como lhe devolveria a liberdade, assim lhe devolveria o exercício da maldade também.

Teve medo de que o seu suor denunciasse a súbita clarividência. Porque alguns bichos cheiravam os sentimentos às pessoas. Disfarçou-se. Abraçado ao tremendo animal, imersos ambos na absoluta escuridão, o artesão fez de conta que seguia ingénuo na estranha convivência. Tal o fez que, num dado instante, sentiu o bicho farejar-lhe a orelha esquerda até que, por espanto, lha lambeu igual a um cão carinhoso. A cabeça monstruosa do animal se movia com cuidado e de modo terno manifestava afecto. O artesão surpreendeu-se com a empenhada mentira do animal. Aguardou. Ficaram depois como mesmamente condenados a fazer nada.

Quando lhe desceram o arroz, Itaro calmo o repartiu e deixou à boca do desconhecido. Comeu e já se convencera de que acertara na leitura do carácter do predador. Mantinha-se calmo porque lhe faltava algum tempo para decidir. Se subisse o bicho, certamente teria por primeiro gesto alarvar-se do artesão, tanto tempo magicando nessa gula, tanto tempo a sentir-lhe o cheiro da carne salgada. Depois, morderia nos demais, que piedosos estariam para acolher Itaro e encontrariam a morte sem mérito algum. Era necessário que chegasse a uma solução para aquela companhia. Provavelmente, o monge o desafiara para deslindar tamanho impasse. Haveria de ser esperto.

No escuro, dera conta que se ocupara apenas de sobreviver, como se a cegueira permitisse nenhum descanso, nenhum prazer além do acosso para a vida. Talvez fosse modo de se educar para a validade de Matsu, que na cegueira perdurara sem sucumbir. Igualmente se salvava das pedras que Saburo atirava. Sofrendo por si e pelo animal. Gritando para que o oleiro sentisse medo. Para que o oleiro medisse a batalha que propunha. Mas Saburo mantinha-se assim. Fazia cair duas pedras, escutava como gemiam os dois prisioneiros e sumia. Itaro chorava.

As pessoas iam perguntar-lhe as mais diversas inquietações, ele explicava-se, já se movendo e fazendo festas ao animal como se domesticado. Assim o explicava, que devia ser um imenso tigre amigo, destituído da sua fúria por ter caído ao poço. Os outros pensavam que o ventre puro do Japão corrigia as feras. Julgavam que Itaro subiria cândido, admirável, um homem novo. E ele dizia que o animal era cordial. Faziam-se companhia em paz, sem agressão ou qualquer indício de competição. Eram amigos. As pessoas espantavam-se. Espreitavam tentando ver como o artesão estaria aos abraços com um tigre gigante. Viam nada. No fundo do poço havia apenas um segredo. Era o que sentiam. Por mais que Itaro lhes falasse, o que havia no fundo do poço era segredo.

E acusava o oleiro. A passar por ali sozinho e a atirar pedras que os iam matar. Espantavam-se todos. O menino oleiro, destituído de maldades, apenas sobrevivo por lembrança do amor. Era impossível. E contavam que Saburo andava dias inteiros no jardim, a repor o sonho ou o pesadelo. Itaro muito insistia, que as pedras já se acumulavam no fundo do poço, desajeitando o ínfimo lugar, pontiagudas a debicar-lhe as costas, as pernas, o largo de cada gesto. A senhora Kame disse: musuko, isso é difícil. Queria dizer que Saburo nunca faria tal coisa contra o artesão.

Na última noite, por certo ansioso com o resgate, o artesão intensificou o seu sonho e combateu incansável. Seguia o rasto do animal, que ora era tigre, ora era urso, ora era uma metade de cada coisa, e via os bárbaros morrerem e mais todas as poderosas pessoas que o haviam humilhado. Os sabres em sua direcção tombavam sem mais força, sabres mortos à boca do animal, que parecia alastrar, como a agrandar-se mais, tornando-se o tamanho todo do que se via. Itaro tão atrás dele que apenas já só notava o rasto de sangue, algumas cabeças caídas nas quais tropeçava atrapalhado, sem mais discernir porque seguiam matando. Estava cansado. Mas todo o sangue lhe anunciava a glória. De verdade, sujava-se e glorificava-se.

Terá sido por se cansar que se prostrou. Tão vencedor quanto vencido e um sabre lhe entrou os olhos. Itaro, irremediavelmente, cegaria.

A cabeça monstruosa do bicho lambia-lhe as feridas de modo afectuoso. O artesão, despertando, percebeu como o predador amigado lhe procurava sarar as feridas, para que visse, obviamente. Era para que visse.

Garantiu que regressara do pesadelo e considerou que o animal lhe cheirou a desgraça pelo suor e entendeu que o medo, outra vez, tomara os olhos de Itaro. Estavam ainda intactos, era certo, apenas sequestrados pelo medo. O homem no poço depois se sentou e o animal tomou-lhe o colo com a enorme cabeça e suspirou. O artesão amaciou-lhe o pêlo, percorreu-lhe as orelhas levantadas, o contorno do focinho, o largo pescoço, e teve nenhum sinal de ameaça. O animal descansava ao seu colo como um salvador. Um certo herói que funcionava no afecto. Ficaram assim. Como se exaustos e carinhosos.

Itaro disse que tomaria o animal nos braços e o subiria ao chão. As pessoas problematizaram aquela coragem mas ele insistiu. Passara os sóis e as luas daquela meditação abraçado por tréguas àquele bicho, teria a coragem de o levar consigo e deitar à floresta. Jurava que o predador pouparia a todos, abraçado sempre, sem o largar, o animal se perderia na floresta como uma nostalgia e mais nada. Era uma nostalgia daquela maturação. O artesão estava seguro de que se salvara da assombração de seu pai e regressaria à vida para a normalidade. Julgava a normalidade como a felicidade possível. Queria mais nada.

Inconfessavelmente, planeava também vingar-se do oleiro.

Muito se atou à corda, primeiro pelas coxas e depois à cintura, até que pendesse pelas costas, e abraçou o desconhecido, que fungou submisso. Os quatro homens os puxariam, mas era fundamental que Itaro se esmerasse no abraço, suportando ele mesmo o corpo todo do animal. Por isso, soube tomá-lo como pessoa ao peito, a cabeça debruçada ao ombro, as patas entornadas para as costas. Tinha de o apertar muito, talvez demasiado, fazendo dor, mas tinha de o apertar assim, para que nunca se arriscasse a cair. Subitamente, era só o que importava. Que aquele estranho amigo subisse salvo, porque estava certo de que se celebrariam antes de partirem para os diferentes destinos que o mundo lhes traçara. Celebrar-se-iam aos pulos de alegria, emagrecidos e cúmplices, alegres de terem sabido abdicar das suas raivas, amigos. Seriam, ao menos por um efémero instante na luz, amigos.

Os homens começaram a puxar e o peso era muito, a corda fremia como se pudesse rebentar. E o artesão gemia de dor e pusera os braços de ferro, mas também o animal rugia. Era um tigre, diziam os de cima. Rugia como os tigres, tinha uma rouquidão assustadora, vinha de boca grande, comeria um homem inteiro em poucas dentadas. Diziam que era uma loucura puxar um bicho assim, que só por manha se pacificara, mas que no chão se poria de predador novamente e os mataria a todos. E a corda descia um pouco. Porque os homens se demoviam de acreditar fazerem uma coisa boa. Itaro tentava falar-lhes, mas respirava quase nada com o suspenso em que se via, esforçado em desespero, decidido a nunca abdicar do companheiro. Alguém perguntava: Itaro, vês que bicho é. Que bicho é. E o artesão respondia: puxem. Puxem, por favor.

A senhora Kame gritava: musuko.

Como abraçava o animal espremido em demasia contra si, a cabeça grande do ser lhe passava pelo lado, cabeça quente que podia ser igual às de inúmeros predadores diferentes. Num abraço, pensava, as pessoas deixavam de se poder ver. Como se, num abraço, fosse indiferente quem estava mas importasse apenas a convicção com que era dado. E repetia: puxem, por favor.

Algumas pessoas seguravam sabres para desfazerem a vida ao bicho. Se atacasse, antes de bem poder atacar, morreria sem mais nada. E os homens puxaram. Haveriam de os subir por sorte. Pensavam. Subiriam os dois em grande sorte.

À medida que ascendiam, lentamente sentindo que a luz os explicaria, Itaro gritava de dores, esvaziando os pulmões, os braços quase partindo de aflição, e o corpo grande do animal parecendo diminuir, certamente por lhe escorregar, certamente por cair. E algumas cabeças antecipavam-se no cimo do poço, aproveitando o sol que incidia sobre Itaro e ainda viam nada senão o artesão. Perguntavam pelo bicho e ele respondia que lhe escorregara para o peito, ia preso pelo pescoço, era enorme, dizia ele. É enorme. Mas se o peso aumentava, o esforço insuportável quase o matando, o corpo escapava. Itaro sentia que abraçava cada vez menos algum companheiro. O seu companheiro desaparecia-lhe. Num pranto exausto, o artesão prometera-se levar o incrível amigo consigo e, por isso, mais o agarrou.

A senhora Kame gritava: musuko.

À vista dos que espreitavam, muito perto do cimo do poço, iluminado na graça inteira do sol, Itaro muito agarrava o seu amigo mas os outros viam nada. Viam como chegava sozinho. Os braços diante do peito, esticados em jeito de grande esforço, mas havia ali ninguém. Perguntavam: caiu. E o artesão respondia: está aqui. Está aqui. E havia quase uma alegria. Uma alegria por chegarem quase ao chão, quase salvos, quase juntos.

Perplexos, os homens começaram a dizer que o artesão subia sem ninguém. Era necessário nenhum medo nem nenhuma guarda. Os sabres pareceram bengalas inofensivas apontadas à terra. Uns e outros admiravam-se. Itaro bem sentia o seu amigo, nunca o deixaria. Enquanto os outros se admiravam, Itaro bem sentia o seu amigo, nunca o deixaria cair.

A senhora Kame gritava: musuko.

Estendido por sobre a terra, o artesão permaneceu um instante imóvel, antes ainda de encarar o corpo cansado do animal deitado num resto do seu peito. Exaurido, a primeira celebração de que foi capaz deixou-o apenas largar os braços. Permitir que as mãos dormentes tocassem ao de leve o pêlo do animal como tantas vezes fizera. Eram amigos. Tinha razão. Salvá-lo manteve-lhe a cordialidade.

Então, Itaro levantou um pouco a cabeça e, como todos os outros, viu nada. Subitamente, por ver nada, a sensação de afagar o animal desapareceu e o aperto que lhe fazia no peito também. Estava ali ninguém.

Viu a senhora Kame, que dizia: musuko.

E viu os aldeões, que desassossegavam.

Contar-se-ia para sempre que um homem fora condenado a meditar no fundo de um poço durante sete sóis e sete luas e que, apavorado com o escuro, se amigou do próprio medo. Sentindo-lhe carinho.

O monge gesticulou. Brevemente a sua mão surgiu da franja do negro véu assemelhando-se a semear. Pairou por sobre o homem caído e todos se silenciaram. Itaro escrutinara os rostos de quem ali acedera. Nenhum morto, pensava. Era modo de reparar que o pai talvez se tivesse apaziguado, finalmente. Sob a mão do velho sábio, o artesão cerrou os olhos, ainda mal acostumado à abundância da luz, e sentiu-se confortável no escuro. Educara-se para o escuro. De verdade, sentiu nenhum medo da cegueira. Considerou que ficar sem ver era da ordem da limpeza. E o sábio disse: inclui-te naqueles que frequentam a universalidade.

Itaro comoveu-se. Perguntou: e meu amigo. Deixei cair o meu amigo. O monge respondeu: deixaste apenas cair o medo. Que farei agora. Quis saber. O velho homem lhe disse: contarás ainda mais belas mentiras sobre flores. Contarás ainda mais belas mentiras sobre pássaros. O artesão respondeu: obrigado, venerável sábio. Muito obrigado.

Reparou como o monge diminuía sempre. Era um homem a decrescer. Como uma ideia que ia acabando.

O monge ordenou que levassem o artesão para casa e, de imediato, o pusessem a trabalhar. O que trabalharia seria nunca visto ou esperado em todo o admirável Japão.

terceira parte
A fúria de cada deus

Os peixes falantes do lago Biwa

Quando o desconhecido tomou a mão de Matsu imediatamente lhe disse: venho por respeito, menina. Estou muito orgulhoso.

A cega, por conversas tolas com a senhora Kame, lembrou-se do que faziam as mulheres para serem bonitas. Esticavam as costas, apontavam o rosto ao chão, como tímidas. As mulheres deviam ser tímidas no instante da corte, deviam aguardar que os homens se pronunciassem, e só responderiam em calma, com cuidado, inteligentes e sempre apaziguadas. Deviam assemelhar-se à alegria natural. E ela imediatamente se assustou assim, abandonada naquela pedra a intuir que, para ser entregue a um desconhecido, era importante que imitasse a beleza das mulheres. Ficou talvez exagerada. Nem o rosto lhe pendia graciosamente para baixo. Era, afinal, uma pessoa desengonçada, tremendo de estupefacção.

O homem sentou-se. Enquanto explicava o seu cansaço e se queixava de algumas corridas e muitos perigos, perscrutava o rosto da menina, como lhe parecia puro, uma queda de sol que se pusesse aos ombros de alguém. Era a própria luz por ironia que vivia na escuridão. Matsu aguardava. Pensava no que veria Itaro, se ainda os veria. Talvez ainda irrompesse do silêncio e a resgatasse para um regresso absoluto à mesma querida miséria de sempre.

Pensava, querido irmão e querida senhora Kame, como se pensasse claramente numa querida miséria.

Mas Itaro permaneceu velado, certamente já a galgar o chão acidentado da floresta, cumprindo a pragmática decisão de apartar os cegos, para que fossem entregues à sorte e, por sorte, viáveis. A menina ouviu o desconhecido dizer-lhe que seguiriam até ao lago Biwa, onde ela nunca fora. Ficariam diante da água toda, como se um mar grande fosse prisioneiro do Japão, e poderiam esperar os peixes que sabiam falar. E ela perguntava: peixes que sabem falar. O homem respondia que sim. Algumas pessoas contavam conversas inteiras com peixes antigos que se amigaram dos pescadores e haviam aprendido a cultura mais rigorosa do Japão. A menina Matsu sorriu. De algum modo, o desconhecido lhe inventara uma fantasia simpática, como se tivesse chegado com um brinquedo para a conquistar. Ela disse: os meus brinquedos são as palavras. Persigo o encantamento de que são capazes. E ele respondeu: com certeza, menina Matsu, muito obrigado.

O homem colocou-lhe algo de comer na mão e foi quando a cega juraria ter escutado os passos de Itaro a ir-se embora. Convenceu-se assim. Itaro teria partido apenas depois de se assegurar de que o desconhecido cumpria o cuidado e o respeito. O desconhecido, alegrado, soava meio cantor. A menina reparava. Havia uma melodia nas suas frases, podia ser que as quisesse pôr bonitas, se era verdade que aquilo de ouvir era o que mais a menina via. Ela tomou a refeição e endireitou as costas para que Itaro se orgulhasse de ela saber imitar a beleza das mulheres. O seu irmão a veria daquele jeito, amadurecida e corajosa. Sem chorar. Choraria mais tarde, certamente, em segredo.

Começaram a andar e o homem tomou-lhe o fardo e era pequeno. Ela desculpava-se, jurava que era mais escolha da velha criada do que sua, porque nem sabia muito bem o que carregava. E ele gracejava. Estava tudo muito bem e pensado para um peso ajuizado. Precisavam de descer algumas encostas e subir outras, passariam rente aos animais, teriam de foguear e correr. Mas nunca lhe deixaria a mão. Matsu perguntava: nunca.

A floresta era um uníssono de pressas. Ela juraria que povoações inteiras de animais os rodeavam. Andavam à socapa a rondá-los. O homem acelerava o passo, tomava uma vara, fustigava o ar, dizia nada. Talvez matasse serpentes de lhes acertar virtuosamente em voo. Seguiam vivos e incólumes. A menina surpreendia-se. Levava a mão num homem valente. E ele parecia-lhe mais baixo do que Itaro. E as mãos mais suaves. Sem feridas. As do seu irmão eram cortadas como as madeiras que se deixavam secas ao relento. O homem dizia que estava tudo muito bem.

E ela sentia as pedras que pisavam e pedia ajuda ao deus das pedras, e sentia as ervas e pedia ajuda ao deus das plantas, e escutava os pássaros e pedia ajuda ao deus dos pássaros, sentia a frescura aumentando pelo declínio do sol e pedia ajuda ao deus do sol. Dizia: cada deus nos ajude. O homem sorria.

Naquele primeiro dia, ainda era incapaz de lhe escutar o sorriso. Preocupava-se com a fúria de cada deus.

Pararam para acender um pequeno fogo e esperar. A luz descera muito e estavam perto de sair da floresta, mas pressentiram algum animal dentado que apenas se demoveria pela exuberância do fogo. Matsu massajou as pernas. Sem se queixar, cansara-se mais do que alguma vez na vida. Cansava-se à medida de quem saía de uma vida para outra, arrancada de todas as raízes. Pensava na senhora Kame como garantia que nunca sairia da aldeia porque era dali igual à pedra que fazia chão. A cega imaginava agora que era uma pedra completa e absurdamente levantada, toda inteira arrancada do chão e posta a caminho de outro longínquo lugar. Pensou, uma outra mulher longínqua.

E o fogo sufocou à força das vergastadas do homem, e ele considerou que era seguro caminharem dali e assim fizeram. Atentos, o ruído da floresta voltara ao normal. Conspirava por natureza. Era tempo de seguirem. Até que assomaram ao percurso habitual dos homens, o carreiro por onde os mercadores iam e vinham, já à vista de campos lavrados e, depois, das primeiras casas. Ele contava as casas: uma aqui mais perto, outra ao fundo. Fumegam. Aquecem chá, certamente. Devem aquecer chá. E ela continha sempre o choro para se sentir perto de alguma coisa ao invés de muito longe de outra.

A lenda da cega no lago Biwa

Contava-se que, por muita que fosse a água daquele mar prisioneiro do Japão, mais subira quando Matsu se sentou diante dele dia após dia. Por tanto chorar, a cega subiu as águas e as adoçou como nunca. Ninguém se espantaria, por isso, que os peixes cultos a visitassem, espreitando-a desde o mais próximo possível.

Algumas plantas nasceram a deitar cor ao fundo do lago, nos rebordos por onde se viam ondular suavemente. E havia nenúfares que flutuavam e flores de lótus incrivelmente brancas que sagravam tudo.

O seu senhor apenas lhe encomendara a calma. Era o ofício da sua pessoa. Acalmar-se pelos dias, bonita pelas criadas cuidadosas, e felicitar-se. A cega, de todo o modo, comovia-se. Dizia-se que a sua comoção era fonte. A menina criava água pura e pescar ali se tornava mais rico. Toda a rede era fértil. A fome das aldeias caía. Ouvia dizerem-no e muitos até lho agradeciam, fazendo-lhe vénias desimportados com a impossibilidade de ela os ver. Gritavam: menina Matsu, a bondade de cada deus. Ela sorria.

Disse uma vez que escutara os peixes. Ninguém duvidou. Disse que, debruçada sobre a água para espiar o reboliço que por ali nadava, começou claramente a ouvir os peixes, que a cumprimentavam tão sem medo nem pudor. Imaginou que podiam ter rostos expressivos. Pensou em narizes e sobrancelhas. Desceu a mão à água e sentiu-se acompanhada. Seria uma imprudência porque ninguém garantira que todos os peixes falantes estariam de boa fé, mas confiou e melhor escutou. Nesse dia, grata, Matsu parou de chorar.

Os peixes lhe perguntavam: e o teu irmão. Ela respondia: é um samurai. Na água se escutava um redemoinho de entusiasmo. Uma surpresa alegre como se os peixes se mexessem em festivo espanto.

O homem mandou que se juntassem as pessoas todas da casa e anunciou o pedido de casamento. Casaria com a menina cega, que era perfeita. Matsu pensou: tão parecida com as mulheres. O homem disse: a mais delicada das mulheres.

Desdobraram o manto que a senhora Kame bordara em retalhos de sedas bonitas e decidiram que nunca se vira noiva mais adequada. Resplandecia em qualquer ínfima visão.

Ela sabia apenas da beleza das palavras porque era com elas que se explicava o mundo. Chegava a gostar das coisas cujos nomes soassem bonitos. Julgava que os nomes acusavam a propriedade do que queriam significar, ainda que tantas vezes tocasse em coisas más, que a picavam, agrediam, procuravam devorar ou a adoeciam. Ainda assim, guardava da beleza uma ideia sobretudo discursiva. E perguntou: que beleza tenho. O homem respondeu: toda. A maior de todas. Porque era uma coisa que ele dizia, depois de dita, ela muito fantasiava como acreditando ser verdade. As costas direitas, a cabeça um pouco inclinada para baixo de modo a manter a timidez e a virtude. Como deviam fazer as mulheres.

As criadas lhe diziam também que o homem era formoso. Talvez fosse um pouco velho. Afirmavam que era sobretudo um homem feliz depois que a menina Matsu ali chegara. A cega respondeu que ver a felicidade seria uma justiça da vida. As criadas entreolharam-se sem contestar nem acrescentar nada. Estendiam o manto da senhora Kame e escovavam-no. Haveria de estar airoso no dia da cerimónia.

A cega sentou-se e agradeceu a Itaro seu bom juízo e sua firme coragem. Em troca de uma eterna nostalgia lhe oferecera o mais dedicado amor.

Quando se fez a cerimónia de casamento, por estarem junto às águas, escutavam as pessoas vozes rasteiras que se alegravam. A lenda ficava contando que no casamento da cega os peixes celebraram incansáveis. Outras pessoas afirmavam que, por ser a menina cuidadora de palavras, o próprio mundo lhe falava para lhe traduzir a beleza de cada instante. Como se apequenasse o escuro. Diziam assim, que no dia do seu casamento junto do lago Biwa a cega apequenara o escuro. O sol estava fresco mas intenso. Nem as sombras se faziam. Os lados todos de todas as coisas eram emanações de claridade.

Escutar o sorriso

Matsu deu-se conta de que, por fim, escutava o sorriso do homem. E ele sempre tinha modos melódicos de falar, cuidado em como falava para ser embelezado ao modo de ela ver. A cega, mais do que nunca, entendia o que era conhecer alguém e começava a dizer: conheço-te. Era a maneira mais exacta que tinha de afirmar que o via. O homem chegava a corar, envergonhado com o seu corpo, com a sua simplicidade diante da mulher que aprendera a amar. No mais genuíno amor todas as pessoas se envergonham. A cega dizia. Porque um sentimento tão profundo transcende a valentia. Era como se declarava também. E ele, deitado ao seu lado, sorria e ela, sem se cansar, sabia que ele sorria incapaz de conter a alegria de estarem juntos.

Iam ao meio do lago, distantes das margens e a escutar como a água se movia debaixo do pequeno barco, e paravam. Sozinhos, na extensa planura daquela superfície de água, o que dissessem era pertença apenas de um e outro. Diziam: obrigado a cada deus. E a menina Matsu dizia: obrigada a cada deus. Pensava em Itaro. Pensava: obrigada, meu irmão.

O homem pedia para que o tempo fosse lento. Para que o tempo se juntasse em torno deles e passasse quase nada. Porque consumia ávido cada instante sem se bastar de ficar perto dela. E ela pedia que aguardassem pelos peixes, que certamente lhes contariam novidades acerca do mais secreto do Japão. Riam-se. Seguravam a sombra carmim por sobre os corpos e ficavam deitados a fazer contas ao sossego.

Ele dizia que, de verdade, o nível do lago subira. Algumas árvores no começo das encostas eram agora de pé na água. O barco passava-lhes pelas copas, elas certamente o pensariam a voar. Alguns pássaros se confundiriam nos caminhos. Talvez mergulhassem à procura de ninhos alagados ou ovos perdidos.

Matsu nunca prometeria parar de chorar. Acalmara, mas sabia bem que a felicidade se compunha da soma de muita tristeza também. Carregaria essa tristeza no seu pranto respeitoso, espaçadamente. E chorar seria também a sua mais íntima prova de gratidão.

O seu senhor lhe perguntava: que te posso oferecer. E ela respondia: um jardim seco. Um que seja quieto, de pedra, por onde possa correr os dedos e sentir como imita as ondas do mar. E ele disse: que sabes do mar. Ela respondeu: o que imagino. Apenas o que imagino. E gosto.

quarta parte
A síndrome de Itaro

Os últimos olhos

Itaro descia sobre os leques igual a um animal e suas crias. Desassombrado, subitamente pintava perfeitos bocados do mundo e se deslumbrava. Eram os seus últimos olhos, dizia, como se a cada dia usasse olhos diferentes até ter de deixar de os usar. E quem ocorria de contemplar os seus trabalhos igualmente pasmava, porque deveras eram instruções de perfeição, lições de como um pássaro devia ser se algum pássaro alguma vez tivesse dúvidas. As imagens de Itaro enterneciam a natureza.

O artesão obstinava-se e considerava o resto dos seus olhos e as suas mãos como autorizações divinas, oficiais dos deuses que abriam na realidade uma urgente graça. Pensava, como lhe dizia Matsu, que assim estaria a pedir o perdão à fúria de cada deus. Sentia-se arrebatado e preferia a sua arte à fome e apenas pintava e escolhia bambus. Se lhe atrasassem o passo, dizia que era por gratidão. Trabalhava para agradecer ver-se em desassombro, sem medos, apenas a coragem necessária para prosseguir. No entanto, vendia nada.

Descia sobre os leques e quase suspeitava de se mexerem sozinhos, procurando escapar-se como crias rebeldes, brincando. Ele brincava obstinado. Ficava avaro daquilo. Procurava até esconder o que lhe acontecia. As pessoas julgavam-no com garras, posto num ninho gigante, uma espécie de dragão adorado e grotesco que rugia. Pediam: Itaro san, venda-me este belo leque. E ele respondia: são meus. Um a um, todos meus. E, se insistissem e voltassem a pedir: Itaro san, venda-me este belo leque que lho pago duas vezes. Ele respondia: vão-se embora. Suplico que se vão embora.

Popularizava-se que o artesão saíra do poço capaz de maravilha e os aldeões iam espreitar. Itaro subitamente era um animal raro, plumado, ele então deitado de asas, borboleta gigante e ainda atordoada, cuspindo. A senhora Kame aguardava aflita que ele pudesse mercar os leques para a gestão da fome. Pedia-lho cuidadosamente. Mas Itaro a escorraçava e escorraçava a todos, garantindo que se punha sozinho, e continuamente apreciava as suas criações incrédulo com tanta beleza.

Alguns mexiam-lhe com paus, à distância, como se fazia para ver se uma presa fora abatida ou se ainda investiria sobre o caçador. Tinham-lhe um receio inelutável. Uma forma de desconfiança que já se justificara havia muito. Agora, sem pudor, diziam de Itaro o que se pensava dos animais. Quem refutava, afirmava que os animais eram imprestáveis para as artes. Outros negavam-no. A natureza dotara-os dessa conquista. Era desnecessário que fizessem qualquer esforço. Talvez Itaro tivesse finalmente sido agraciado pela natureza e adquirido uma propriedade que até então apenas esboçara.

No entanto, por azar, o artesão passava as noites em medos antigos, os sabres que lhe furariam os olhos, a pressa, lutava à pressa. Chegava a dizer que sonhava à pressa para pintar mais tempo, para mais bem gastar a oportunidade de ver. E os seus inimigos ameaçavam-no e buscavam feri-lo e ele esgueirava-se mais uma noite incólume e pensava: outro leque, outro leque. Obstinado com pintar um novo leque, na expectativa do que lhe mostraria, tanto quanto outrora ansiava por saber o que veria no morto de algum bicho. A arte, por seu lado, mais do que a presciência tinha o sublime. Podia servir apenas para ser pura transcendência. Quando Itaro descia sobre as suas pinturas e as protegia estava a recolher com o corpo o inteiro mundo dos espíritos. Dizia: para a alegria de cada deus. Sentia-se o criador de uma prova dos deuses. Comovia-se, chamava a criada e perguntava: estamos sozinhos. Ela respondia: sim, senhor. Então, mostrava-lhe o que acabara de pintar e a mulher também se apequenava perante tão vívido lago, tão luminosa e alva flor de lótus. Era o que, certo dia, convocara. Explicava: um canto do lago Biwa. Mas nem Itaro nem a senhora Kame alguma vez haviam estado no lago Biwa. Aquela era uma água nas ideias. Uma flor nas ideias. O artesão pintava ideias. Assim o explicou e assim se arrepiou a criada, desafiada na fome mas cúmplice de tão grande heroicidade. Exclamou: musuko. Itaro respondeu: é uma mensagem. Sem saberem o que lhes contava, observavam longamente a mensagem e poderiam até naufragar.

    A criada lhe perguntava outra vez: que faz, senhor. E o homem respondia: estou a olhar para sempre.

    A senhora Kame mudava para mendigar. A piedade dos aldeões ajudava com pouco e ela ia bastando as refeições e parara de se lamentar. Vinham espreitar as obras de Itaro, comentavam o absurdo de recusar vender e davam-no como louco. Fora mordido por um bicho, levara com uma pedra na cabeça, o artesão destituíra-se da sensatez. Contava-se que saíra do poço tão imprudente quanto mágico. E ofereciam mais dinheiro e até alguns homens ricos chegavam escoltados por guardas tenebrosos para verem e fazerem negócio. Chegavam à terra dos pobres e julgavam que tudo teria preço e começavam a prometer redimir a miséria inteira, e os aldeões tolhiam-se por saberem que os ricos eram charlatões, bojudos de gula, partilhavam pouco. Conseguiam ver os leques de Itaro, quanto mais ele os protegia e recusava deixar de mão. Eram seus. Estava apaixonado por sua própria arte. Dizia assim. Mas talvez fosse sobretudo porque a arte lhe contava de algo velado até então. Ninguém o saberia. Estava sob feitiço e muitos dos que contemplavam tais leques se enfeitiçavam também. Pago três vezes, dizia um homem. Pago quatro vezes. À escuta dos valores, Itaro gemia como se o preço fosse uma arma contra aquela paixão. Negava sempre. E mais o homem repetia: seis vezes. E mais Itaro se contorcia atingido pela avidez, resistindo contra a tentação de também enriquecer. Frustrados, os que se candidatavam à compra iam embora ofendendo os aldeões e até jurando vingança. Humilhavam-se insuportavelmente e ridicularizavam os rostos acabrunhados que ainda duvidavam de ser aquela arte de Itaro uma dádiva ou uma condenação.

E Itaro pintava, demorava-se absurdamente a ver cada leque, e subitamente regressava à necessidade de pintar. Era inesgotável. Ele dizia. Que o deslumbre nunca se eternizava. Os próprios leques o rejeitavam, lentamente, como se necessitasse de reiterar a conquista da imagem, como se necessitasse de tentar outra vez. Dizia: sei pouco, sei que há algo mais para saber. Pressentia que a arte era uma revelação, assentava numa suspeita mas nunca garantiria que resultado teria, afinal. Estava diante de um pressentimento de haver algo para descobrir mas faltava-lhe conhecer o quê. Apenas os leques, leque a leque, o levariam utopicamente mais além. Vão-se embora, gritava. Vão-se embora. A senhora Kame procurava correr a porta de casa e, também alerta para a espiritualidade intensa daquele acontecimento, mentia que os leques se haviam esgotado. Quem ia chegando, assim escutava. O trabalho do artesão findara. A maravilha tinha pouco tamanho. Bastava para quase ninguém.

    Itaro se levantava do cesto onde juntava os inexplicáveis leques e, grato, dizia: mãe perto. A senhora Kame extasiava-se de uma inusitada felicidade. Ao centro de toda aquela provação, a mulher sentira-se, afinal, justificada. Fora a primeira vez que o ríspido homem a reconhecera. A primeira vez que se expressara como alguém dotado de incontido afecto. Ele, de todo o modo, dizia-o mais por precisar dela do que por saber amar. Abrigo. Lembrava-se. Ficar sob o rosto da mãe como sob abrigo. E repetiu: mãe perto. O contrário dessa mulher longínqua, sem a pertença de ninguém. A senhora Kame ponderou em como a felicidade podia comparecer em tão terrível destino. Como se fizesse parte da tristeza. Uma coisa da tristeza também.

Caçada

Corria pelos aldeões a ofensa de o oleiro sair ao dia armado, absorto numa zanga que era a de nunca vir a aceitar que um animal descera da floresta para lhe morder de morte a esposa. Metia-se entre as flores e carregava o sabre. Ajoelhava-se a trabalhar e detinha-se por instantes, reapossado da arma e a medir a quietude em redor. Desconfiava e punha-se vigilante. Chegava a circundar em guarda o quimono ao vento. A passar uma e outra vez por ali sem caçar nada nem descontrair. Andava à cata de maleitas no ar. Era o que lhe viam. Observava o vazio a suspeitar de algo tangível, algo que pudesse cortar ao meio, fazer sangrar, matar sem hesitação. Saburo, o menino para sempre, terno e só estragado pelo amor, acossara-se de paz nenhuma. Diziam os amigos que se perdia mais e mais nas preces, a suplicar vinganças e outras maldades, entregue ao desespero como os incautos. A sentença de cada deus se abateria sobre ele. Diziam.

Os seus amigos iam cumprimentá-lo. Conversavam acerca da multiplicação das flores, em como faziam face ao verão, cheias de cores que alegravam. Mas ele casmurrava cada vez mais. Tinha também uma urgência, sem fazer nada, ali imóvel a espiar, estava com cara de atarefado. Podia ser que visse invisíveis e isso fosse uma demasia e o ocupasse até muito. Mas ninguém entendia nada senão o desalento.

Certa tarde, quando Itaro saiu a buscar canas, escondendo seu tesouro de leques nos cestos dentro de casa e obrigando a criada à mais aturada guarda, viu como o vizinho se ajoelhava de sabre vertical. Era como o fazia tanto, quase acarinhando a lâmina, a ter-lhe uma fantasia ou uma amizade. Muito se contava que se aconselhava com o sabre. Ficava a ter com ele conversas mudas para decisões terríveis. E Itaro, igualmente nervoso, agarrou uma pedra e lhe atirou.

A pedra caiu nas madeiras, depois de bater sonoramente na casa. Saburo, levantando-se, gritou. Itaro caminhou.

Saburo disse: vais morrer, homem vil.

O oleiro foi farejar a casa do vizinho. A senhora Kame, em aflições, corria a vassoura outra vez a limpar o mundo. Terra para um lado, terra para o outro, convencida de que desempoeirava o campo a começar ali. E o homem passava sem conversa, apenas imiscuído, abelhudo, instável. Parecia dizer algo muito baixo, pensamentos que ganhavam som, certamente demasiado ruidosos para se conterem ao barro da cabeça. A criada perguntou se havia problema, em que podia ajudar, bom dia, obrigado. O oleiro, de expressões breves, seguia farejando. O quimono da senhora Fuyu estava ao sol, o verão aquecera, os gestos ficavam mais lentos, penalizadores, a normalidade era por toda a parte. A criada falhava em encontrar motivos para aquela ronda. Perguntou: Saburo san, em que posso servi-lo. O homem respondeu: obrigado. Muito obrigado.

Era um assassino. Pensou. Era finalmente um assassino.

Deixou-se à sua porta, logo depois, como estivera até Itaro surgir. O olhar perdido, o sabre furando um pouco o soalho. Quem por ali ia noticiava que agora se tornara imprudente, desrespeitoso, um louco. Ameninara-se demasiado com a fantasia dos amores, estava indecoroso. Pobre Itaro, diziam assim. Pobre Itaro, o vitimizado vizinho.

A criada o foi vendo quieto até que, sem se dar conta, ele desaparecera. Ele e o seu sabre haviam saído para algum lugar. A mulher temeu. Agarrada à casa pela honra daqueles leques, estaria impedida de ir ao aviso do seu atormentado musuko. A senhora Kame apelou para que a ouvissem, que lhe fossem falar, por favor, estava certa de que o oleiro ia à morte do artesão.

Por entre as canas, o sabre do oleiro abria caminho. E o homem enraivecido só queria matar. Itaro, por seu lado, dava-se aos rigores, a ver manchas e imperfeições, a criticar a natureza. Queria apenas as melhores e mais delicadas canas. Zangava-se com o defeito escondido, a mania que as sementes tinham de permitir a dispersão. Pensava que cada coisa devia ser imperiosamente obediente a um modo de ser. Pensava que a repetição do padrão mais esplendoroso da natureza seria o maior sinal de juízo do deus das canas. Esquecia-se de sorrir. Ao fim de um bom tempo, ainda seguia sem grande escolha. Exigia mais. Nunca exigira tanto. Quando, num repente, o sabre de Saburo se viu acima das canas fugazmente e a sua voz à vingança se estendeu por toda a parte. O artesão desatou em fuga.

Os homens correram e nem sempre sabiam um do outro. Itaro escondia-se, aninhado num esconso depois de uma pedra, depois de um abrigo abandonado. E Saburo outra vez farejava, a jurar abri-lo em dois por lhe haver morto a mulher. Era o que dizia. Que o artesão lhe matara a mulher. Coisa irreal. Voltavam a correr, Itaro gritando que o vizinho estava louco, assassino, haveria de lhe rachar a cabeça, haveria de lhe devorar as tripas. Demónio.

E o oleiro robustecia-se e estava muito diferente de um velho. Era outro animal diferente de um homem velho.

O artesão pensou que o melhor seria correr para casa, chegaria aos aldeões, ter-se-ia acudido por eles, envergonhando e expondo o inimigo, lançando mão também do seu sabre e certamente matando mais, matando muito mais, favorecido pela juventude. Tentou deitar para o lado de casa, e o campo ia passando, entre mais canas e outros cultivos, entre covas e charcos de água, mas faltava tanto até que se avistasse a lisura dos lugares onde viviam. O canavial demorava.

Entretanto, a senhora Kame estremeceu de desobediência. Era mais importante salvar Itaro a vigiar pinturas. Nenhuma pintura vale a vida de um homem, pensou. E pôs o corpo à pressa, à procura de ajuda. Largou a vassoura e deparou-se com o quimono ao dependuro e ocorreu-lhe buscar a mais comprida vara que houvesse. A senhora Kame ergueu o quimono muito acima das casas. Ficou um quimono alto, subido numa vara longa que a criada empenhava como se navegasse a fundura do céu. Desatou a correr para o canavial a bradar tão peculiar bandeira de uma tão triste guerra. Gritava. Musuko. A senhora Kame gritava: musuko. E gritava: Saburo san. Saburo san.

Entre o interminável canavial, o oleiro e o artesão se caçavam em fúria. E, súbito, aquela senhora Fuyu apareceu elevada observando o intenso ódio com os seus preciosos olhos espirituais. Itaro hesitou. Saburo deitou-se por terra à vergonha do amor. O sabre imediatamente vazio de morte. Apenas vergonha.

A senhora Kame havia prendido o triste quimono para que anunciasse a moral. A mulher chorava e brandia a honrada bandeira gritando sempre para que parassem. Que parassem de se matar, de se odiar, de se disputarem na dor e na miséria. Precisava de salvar o seu rapaz. Salvaria os dois.

O artesão aproximou-se, entrou em casa a socorrer-se e dando-se conta de que o inimigo enfraquecera. Tombara humilhado por sua própria loucura. Ainda assim, Itaro empenhou o sabre e esperou. Saburo chegou cabisbaixo, um caçador derrotado, e disse: suplico-lhe perdão, senhora Kame.

A criada respondeu: obrigada. Obrigada, Saburo san.

Depois disse: peço-lhe perdão, Itaro san.

O artesão respondeu: porco.

Desceu o quimono da longa vara. O oleiro o tomou e o foi pôr ao mesmo lugar de sempre. Os pássaros alegravam-se, o dia ignorava absolutamente a alteração. Estava calor. A senhora Kame comentava: está muito calor. O oleiro respondia: e há que voltar a acender o forno. Era horrível acender o forno no extremo verão. Trabalhava com a pior mandíbula do sol. Explicava assim. Perdera as sandálias. Tinha feridas nos pés. A criada lhe disse: o fracasso é a origem do sucesso. Sorriram por comum tristeza. Os barros estavam empilhados e as palhas preparadas. Faltava atear. Mais tarde, disse o homem. Vou às preces do dia.

Itaro, atirado ao chão, resfolegava. Chegava a mão às pedras pequenas que por ali via e as atirava sem esforço ao oleiro. Caíam por perto. Eram uma chuva esparsa que media a honra dos homens. A mulher suplicou: musuko. Então, o artesão levantou-se, saiu de sabre às canas. Tinha perdido toda a escolha, era fundamental que regressasse ao campo para garantir o seu trabalho.

Os aldeões que vinham perto contaram depois que Itaro também saía aos dias armado. Era uma imprudência, um desrespeito, uma loucura.

Tornou-se público que os vizinhos se queriam matar. O espanto cobriu a comunidade.

Diziam: pobre artesão. E diziam: pobre oleiro.

No canavial, Itaro desferia golpes para gastar a raiva e a necessidade de sangrar. Abriu uma pequena clareira. De repente, como lamentando-o, caiu tomando cada bocado de bambu julgando destruir o sonho larvar do universo. Destruíra o leque larvar, talvez o mais perfeito. Deteve-se. Naquele restolho viu-se vítima. O seu próprio corpo desfigurado.

Apiedou-se do canavial pedindo perdão aos deuses.

Voltou à escolha. Perdido de tanto tempo, era fundamental que escolhesse e urgisse na sua arte. Por alguma estranha razão pressentia que um leque, um qualquer leque, lhe haveria de explicar o sentido inteiro da vida. Como um leque que valesse para sempre.

Tomou as canas, correu a casa e criou.

O lado dos deuses

Quando acendeu o forno, o oleiro apaziguava-se sem razão. Alguns homens foram à ajuda, outra vez se tomava conta do tamanho daquele calor e as chamas começaram a expelir-se dos orifícios, línguas ferozes a dançar, e passaram às cores. Nunca se vira um fogo colorido assim. Era grandemente azul, a fazer verde nas extremidades, um pouco rosa também. Os homens sentavam-se a pasmar. Os barros de Saburo recusavam encarnar-se, ardiam sem o sangue habitual, como se o fogo fosse frio. Como se fosse água.

Na confusão daqueles trabalhadores, alarido e gente a ir e vir, ouviu-se dizer que os leques de Itaro haviam sido roubados. Mas era mentira. O artesão estava enrolado sobre a cabeça a gemer. Fizera-se num redemoinho e escondera-se o mais dentro de si que pôde ser. Entre a casa do oleiro e a do artesão os aldeões circulavam e faziam perguntas a levantar dúvidas e a senhora Kame mais explicava que era uma coisa impossível, porque o seu senhor descia sobre os leques pior do que as galinhas sobre os ovos. Chocava os leques, haviam de brotar maravilhas ainda maiores. Ainda maiores. Ninguém desmentia.

Outra vez usavam paus para mexer no artesão à distância, mantendo alguma segurança, a medo. Os aldeões desculpavam-se, pediam licença, e declaravam amizades para que Itaro lhes respondesse e parasse de chorar. Alguém perguntou: está a chorar. Era pouco definido aquele gemido. Era diferente.

De qualquer maneira, permanecia enrolado e meditava em febre. A força das ideias era tanta que pensar se tornava também uma disciplina do fogo. Pensar era um modo de arder.

O forno exuberava, consideravam até que a sensatez convocava o sábio monge, para que ali fosse cismar no significado daquelas cores. E alguém se oferecia para lho pedir. Toda a gente se aprumou, a espanar as vestes e a moral, e se preparou para a presença do homem superior. Saburo, ao contrário, tentava demover os companheiros. Era pouco para incómodo de tão importante homem. Mas o fogo insistia em ser diferente, e trazia tanto susto que seria bom levar o sábio a cismar sobre aquilo, e essa cisma haveria de ser uma garantia de salvação.

Num dado instante, Itaro desenrolou e subiu aos pés. Assomou à vista de todos sem choro. Alguns orgulharam-se de haver afirmado que gemia sem choro. E o oleiro ficou a ver o inimigo enquanto ele se aproximou e conferiu o forno já antigo e conhecido. O enorme forno onde se prendia um pedaço de sol a cada passo. Itaro abeirou-se e disse nada. Os homens mediam-lhe a distância, receosos de que atacasse por maldade ou loucura. Então, perguntou: o que ardes de tão colorido. Um calafrio percorreu o grupo e todos se endireitaram para ouvir.

A senhora Kame deu um passo adiante e respondeu: musuko, é o quimono da querida senhora Fuyu.

Pasmaram.

Atendiam à cerimónia fúnebre. Imediatamente olharam o espantalho vazio e sentiram que a senhora se fora embora novamente. Mais do que nunca. A senhora Fuyu morrera por completo.

Outros perguntaram: e os leques. O artesão respondeu: é mentira. Estão guardados. Ninguém entendia, por isso, o que levava agora Itaro a tanto desespero. Perguntavam: e porque desesperas. Itaro encolhia os ombros. Ainda estava sem modo de explicar. Dizia: também ardo.

Depois dizia: anoitece.

Saburo, por seu lado, decidira excluir a amada esposa da fúria de que agora era capaz. Escolhera a solidão, escolhera poder matar.

Viam as chamas limpas da senhora Fuyu, o fogo espiritual que a transportava de uma vez por todas para o lado imaterial e sumptuoso dos deuses. Era uma celebração, afirmavam. O oleiro curava-se, a mulher libertava-se.

Itaro melhor olhou para as chamas e ponderou estender a mão aferindo o calor, mas havia nada a fazer. A criada declarara inequivocamente a diferença daquele fogo.

O sábio monge desceu junto ao forno e os homens calaram-se, o artesão baixou o rosto, o velho sopesou a cor do fogo e disse: ouçamos. À estupefacção de todos, uma melodia como de flauta se escutou vinda de entre o arvoredo a começar a floresta. Era o som de um pássaro único, um canto limpo que serpenteava mais perto ou mais adiante. Um músico como nunca por ali se ouvira. E todos se interrogaram se seria um forasteiro arrependido, um que regressasse pelo cordame estendido para decidir viver. Às casas chegava aquela música e as pessoas escutavam para se precaverem dos sustos que as frequentavam.

À espera que o tocador surgisse de entre o emaranhado das árvores, ninguém desceu. Até que o sábio partiu e a melodia cessou de tocar. Os aldeões entreolharam-se e comentaram como o fogo descia. Tardava nada os barros estariam cozidos por entre o espírito da senhora Fuyu. E comentaram que o sábio encolhia. Era a corcunda. Diziam. Outros juravam ter notado que estava sem braços. Deixara de acenar, ficara mais estreito. Muito mais estreito. Era mais baixo e menos largo. O monge desaparecia.

Procuraram imitar a normalidade. Conversaram acerca das moças que nadavam no riacho lá para cima.

A normalidade, contudo, era impossível.

Itaro subiu a floresta ao encontro de algum flautista, sobretudo por suspeitar que fosse espiritual, um homem com tarefas dos deuses. E todos o viram correndo, calcando as flores de Saburo, embrutecido e urgente. Podia ser que corresse atrás de uma ilusão. Ninguém o tentaria. O sábio era subtil, falava por metades de ideias. Alusões imprecisas que amadureciam lentamente no entendimento dos humildes aldeões. Mas o artesão acreditou que a música soaria novamente e a buscou. Tanto buscou que mais lhe doeu o insucesso.

Disse à criada: é ofensiva a arte. É ofensivo que nunca se baste. Para descobrir sentidos ou imitar divindade, é ofensiva. Devíamos habitar apenas santuários e ter de fascinante exclusivamente a prece. Tudo o mais é egoísta.

A criada, que padecia de simplicidade, escutou como se escutasse nada. As ideias de Itaro eram um modo de distância. Como se estivesse paulatinamente a partir. A senhora Kame lamentou todas as diferenças. Juntou-se ao chão e, de qualquer jeito, aceitou.

A presença do corpo

Seria certamente o flautista ao dependuro como fruto aberrante daquela árvore. Quando foram chamar os aldeões, explicavam que ainda se ouvira o grito. O suicida estava fresco na morte, devia exalar do corpo por um tempo. Os aldeões por ali chegaram e observaram como era pungente a solidão daqueles mortos. Itaro lembrava o que dizia a sua irmã, que eram mais solitários do que os outros. Distribuídos ao labirinto da floresta para serem absolutamente esquecidos. Aqueles que escapavam à memória perdiam a companhia.

Sentou-se num tronco caído e fez nada. Era preciso descer o homem, escondê-lo num tecido, carregá-lo ao santuário, mas Itaro sentara-se e valia de nada. Falhara em encontrar o suicida ainda vivo. Falhara em saber das suas razões e havia nada nos restos que lhe desse poder ou sabedoria. O morto pendia igual a uma falta qualquer. Era o contrário de uma abundância. Itaro ponderou: a morte era uma escassez.

O monge haveria de saber mais sobre aquele gesto. Tinha anunciado a sua presença no exacto instante em que a música soara, conhecia que o homem deambulava na floresta ainda junto às casas, perto dos aldeões. Mas demitiu-se de qualquer diálogo. Apenas sugeriu aos aldeões que lhe escutassem a morte. O monge apaziguou-se. Itaro pensou. Morrer tinha juízo.

Abandonou os homens e foi para casa. Pousou-se aos leques e os contemplou. Por maravilha, a vida parecia haver-se consumado. Entendia mal porque haveria de querer seguir pintando. Seria decente acalmar. Bastar-se com o que fizera e vender. Mas aguardava que a arte lhe explicasse o porquê da sensação de transcendência. Queria manter os leques como seus para dominar a transcendência no momento em que se clarificasse. E moveu os cestos. Mais se demorou naquilo quando, do fundo de um cesto tombando, saiu o leque que pintara havia tanto, guardando a imagem das violetas desfeitas. Dissera que era um bocado de sol que aprendera a nadar. Considerou que errara por pintar para si uma ideia morta de Matsu. Tomou o leque e a criada se chegou e lembrou também. A criada declarou: mais me parece o resultado do mundo se as nuvens houvessem de cair para o esmagar. Itaro perguntou: como estará a minha irmã. Era o que queria saber. Como estará. O afecto, senhora Kame, pede sempre notícias.

Assim o disse e voltou a pintar.

A simplificação do corpo

Debruçado sobre o novo leque, Itaro via a imagem consumar-se com a impressão de se fazer sozinha. Era a mais pura de sempre. O bocado de água, um breve peixe em passeio sob as plantas flutuando, as branquíssimas flores de lótus. O Biwa. O artesão mais pintou e mais olhou para o reflexo da água e julgou ver-se, até mais olhar e reconhecer o rosto alegre de Matsu. Era um bocado de água onde Matsu se pudesse inclinar. E gritou: senhora Kame, senhora Kame, a menina vive. Ele e a criada se deitaram a chorar.

Seria uma fantasia, como num desejo, mas comparecia no imaculado leque o rosto ténue da menina cega, e quem houvesse de lhe sentir falta poderia enganar-se na companhia daquele objecto. A criada o abraçou. Musumé, disse. Onde estás. E sozinha acrescentou: no meu coração.

Aquele leque era um modo de desensarilhar os caminhos da floresta e permitir, um pouco, atravessarem incólumes até à possível presença da menina.

Os dois se puseram em redor daquela imagem por muito tempo, bendizendo-a e celebrando-a como gente feita de papel de arroz e um toco de bambu. Até sucumbirem no cansaço da noite, para o lado de dentro do sono.

Inquieto, contudo. Itaro despertaria vezes sem conta e alumiaria a vela para regressar à visão da irmã. Então, recusou-se a descer daquela transcendência. Pareceu-lhe insuportável esperar melhor momento e, sobretudo, demorar o tempo bastante para considerar aquela pintura insuficiente. Nunca mais suportaria a angústia de criar. Tomou a sua lâmina e sorriu.

Lembrou-se, olhar para sempre. Caçar as imagens e viver de pensar. Habitar também o radical puro da natureza. Pertencer ao mais extenso do Japão. Ser como um elemento da universalidade. Saber apenas das ideias, a essência de cada coisa. Ficar livre. Itaro pensou, ficar livre.

Furou os olhos.

Por tanto o haver sonhado, a dor era-lhe familiar e a enfrentou como uma dor amiga. Encontrava-a finalmente e orgulhou-se disso. Estagiara tanto para a cegueira que cometê-la era apenas a simplificação do corpo. Diria assim, que entendera como simplificar o corpo.

Os cegos imaterializavam-se. Ficavam extensos. Somavam ao total do Japão, indistintos entre as evidências, como sabedorias aprofundando ou seres que viam pela boca. Diziam, e o que diziam era outro tipo de olhar. O artesão ponderou que, afinal, algumas pessoas chegavam para lá do esticado dos braços, do esticado das pernas. Eram pessoas sem tamanho. A escuridão levava os tamanhos. Imaginou que Matsu lhe perguntava agora quanto mediam as árvores da digna floresta. Ele responderia: um milhão de corpos teus. E cada pássaro seria gigante como um milhão de meninas juntas. Porque cada pássaro teria a medida de uma ideia. As ideias, irmã, são de extremidades indefinidas, a cada instante se expandem.

A cegueira era, a cada instante, uma expansão.

Itaro decidiu que assim explicaria às pessoas; sou um homem que vê pela boca. E entendeu. Ao invés de caçar as imagens, caçara ideias. Haveriam de aumentar à força da liberdade.

Descansou.

Chegou-se ao chão e melhor dormiu. Sentiu-se bem, tão dentro da noite.

A imprudência poética

O cego está de costas para todas as direcções. Disse assim Itaro sem ironia. Saburo, muito perto, auscultava como o corpo do vizinho ficava à mercê. O artesão quis deixar claro que o sabia ali, à traição, como um covarde. Poderia abraçá-lo. Poderia chegar-lhe o arroz à boca. Arriscar perecer junto dele. Itaro pensou. Poderia abraçá-lo como no fundo de um poço.
    E Saburo aguardou quando, movido pelo estranho prazer de ali estar, algo o tangeu em corrida num qualquer sentido que falhou de entender. Talvez um bicho que caçasse em redor e se abeirasse a decidir ferrar. O oleiro levantou-se, fez um ruído. Itaro perguntou: Saburo san, já vai embora. O oleiro respondeu: temo que tenha passado um animal correndo. O artesão respondeu: eu vi.
    Saburo voltou a sentar-se. Ainda afirmou: vou cuidar dos incómodos às flores. Mas, depois aquietou-se. Quem os descobrisse consideraria serem homens imprudentemente poéticos. A espaços, suspiravam. O fim do verão convocava o desastre costumeiro do inverno. E eles habituavam-se à conversa. Itaro nunca usaria o coração para o amor. Dizia: estômago. Amava com o estômago. Só sabia da sobrevivência. Saburo ponderava. Sorriam lentamente, os dois desdentados, numa fealdade ou coisa mísera que as dignificava com graça.

Naquela tarde, alguém foi a contar à senhora Kame a novidade. A criada, depois, desceu para junto do forno, encontrou os dois vizinhos e disse que na casa do sábio, ao meio dos seus limpos tatames, um charco de água era a única coisa presente. Itaro imaginou que o monge diminuíra até ser impossível apequenar-se mais. A maturação, de todo o modo, era acontecimento que ocorria excluído de tamanhos. A maturação era sem tamanho. Gritou: como a escuridão.

Algumas flores de cerejeira percorriam o chão. Iam no vento. O perfume das belas árvores repartia-se pelos lugares dos aldeões. O sol caminhava ao contrário, como se fosse de volta ao centro da floresta, a ver o rosto mais belo da morte. A antiga origem. Morrera o homem imaterial. Pensaram. O austero monge era inteiro o mesmo que a circundante natureza. As cerejeiras enviaram suas lágrimas em flor, inundando lentamente a terra toda. Lentamente, a terra toda se coloria de uma claridade terna. A senhora Kame explicava: é um algodão a chegar da floresta. É lindo. Itaro sentia que era lindo.

Os três se deixaram assim. O oleiro sabia um poema acerca da vetusta cerejeira da noite de Guion. O artesão pediu: faça-nos ouvir, por favor. Faça-nos ouvir.

O perfume das impossíveis cerejeiras inebriava os inimigos que, distraídos pela poesia, adiavam todas as decisões. A vida, subitamente, era sem pressa. Planeariam combater-se mais adiante, se ainda fosse interessante matarem-se um ao outro.

Depois, Saburo voltou a dizer: vou cuidar dos incómodos às flores. Mas o cego sabia que o jardim perecera e que o oleiro se deixara daquela delicadeza. A ausência do quimono da senhora Fuyu abandonara o oleiro à realidade. E a realidade era sem maior fantasia. Vinha o inverno. O frio bastava para que se quisessem ocupar de mudar tudo. Pela primeira vez. Mudar tudo.

Calmamente, como num pensamento maduro, Itaro decidia que haveria de se prostrar no chão junto ao castelo de Nijó, o mais cerca do palácio de Ninomaru que lhe fosse possível. De rosto caído. A honra inteira na palma da mão a pedir. Como se explicasse à bondade de cada homem que o espírito divino o honrara com aquela situação. Enfrentava a contagem da míngua e a arte de mendigar. Sabia que os mendigos eram teatrais. Estavam longe de mentir. Apenas ilustravam o desespero com talento.

Falaria de amor. Diria: o que se opõe ao amor se afeiçoa à morte. O artesão haveria de mendigar por obrigação de alegria.

nota do autor

Ao encontrar os fios ainda frescos dos suicidas que entram a floresta no sopé do monte Fuji, estratégia de Ariadne, o calafrio traz a dúvida de saber se na sua extremidade, ao centro do labirinto, alguém medita desesperadamente acerca do fim. Por ser ocidental, a cultura da culpa, a base cristã e a inteira obrigação para a vida impelem-me à salvação de cada pessoa. Como se a morte fosse sempre pior do que prosseguir na deriva tantas vezes cruel de existir. Para os japoneses o suicídio reveste-se de complexa nobreza. O morto nobre, na floresta do monte Fuji, sobra nas árvores como a devolver-se à mutante natureza. A natureza é, de todo o modo, o único futuro viável, a única perenidade.

Caminhar por entre aquelas árvores, a perseguir por um pouco os fios, encontrando restos de acampamentos simples, objectos de companhia e necessidade, foi uma experiência que me comoveu. A floresta inteira se pôs de cemitério exposto, à luz, coisa orgânica onde pensar e morrer era igualado à infinita sapiência de fazer folhas, criar troncos, deitar flor, parar.

No meu livro aludo a tal floresta, mudando-a de lugar e de tempo, porque se tornou impossível prosseguir com a minha ideia de inventar um artesão japonês abdicando do que ali senti.

Obrigado à Fundação Luso-Americana para o Desenvolvimento e ao Departamento de Português da Universidade de Lowell, nomeadamente nas pessoas de Vasco Rato, Frank de Sousa e Miguel Vaz, pelo convite para uma residência literária no estado de Massachusetts. Obrigado ao João Caixinha e ao José Rodrigues pelo cuidado acolhimento na cidade.

Obrigado ao Miguel Gonçalves Mendes e à equipa do documentário *O Sentido da Vida* por terem estado comigo na floresta dos suicidas e haverem ido comigo conhecer o último dos velhos artesãos de leques do Japão, que era simpático e tinha aranhas grandes à porta de casa. Falou muito mas eu soube nada porque a intérprete que arranjámos se maravilhava a ouvi-lo e ficava incapaz de o traduzir. Obrigado a João Martins de Carvalho, conselheiro e cônsul português em Tóquio, obrigado a sua esposa Ana. Obrigado ao querido Hiroki Kobayashi e sua esposa Yumi Shimizu.

Obrigado a António Gonçalves e Óscar Gonçalves pela hospitalidade na belíssima Pousada de São Bartolomeu, em Bragança.

Obrigado à Porto Editora, com especial abraço a Cláudia Gomes e Rui Couceiro, pessoas que eu gostaria se tornassem siamesas, ligadas pelo mesmo estômago ou pelo mesmo coração, para que não se pudessem separar. Obrigado à Mónica Magalhães por me dizer coisas bonitas que me fazem corar e querer ser melhor pessoa.

Obrigado aos primeiros leitores, Mário Azevedo e minha irmã Flor Lemos.

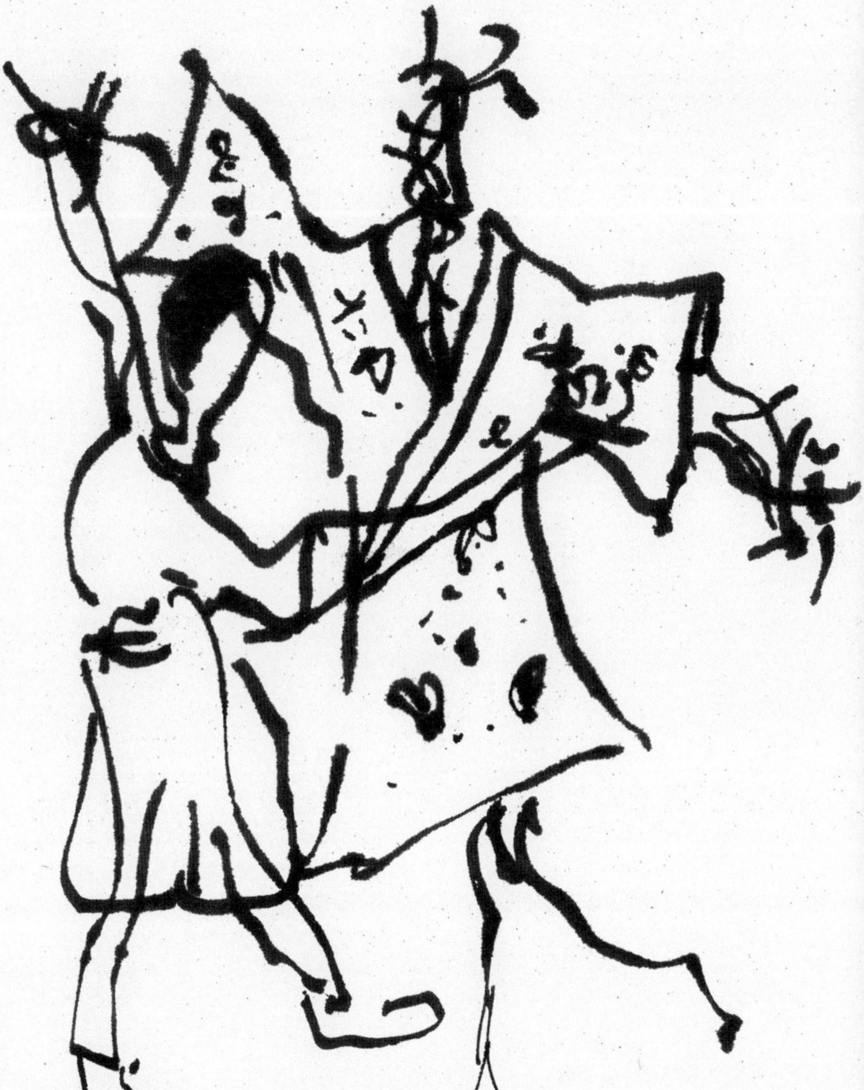

VALTER HUGO MÃE é um dos mais destacados autores portugueses da atualidade. Sua obra está traduzida em muitas línguas, tendo um prestigiado acolhimento em países como Alemanha, Espanha, França e Croácia. Pela Biblioteca Azul, publicou os romances *o nosso reino*, *o apocalipse dos trabalhadores*, *a máquina de fazer espanhóis* (Grande Prémio Portugal Telecom de Melhor Livro do Ano e Prémio Portugal Telecom de Melhor Romance do Ano), *o remorso de baltazar serapião* (Prémio Literário José Saramago), *O filho de mil homens*, *A desumanização e Homens imprudentemente poéticos*. Escreveu livros para todas as idades, entre os quais: *O paraíso são os outros*, *As mais belas coisas do mundo* e *Contos de cães e maus lobos*, também publicados pela Biblioteca Azul. Sua poesia foi reunida no volume *Publicação da mortalidade*. Outras informações sobre o autor podem ser encontradas em sua página oficial no Facebook.

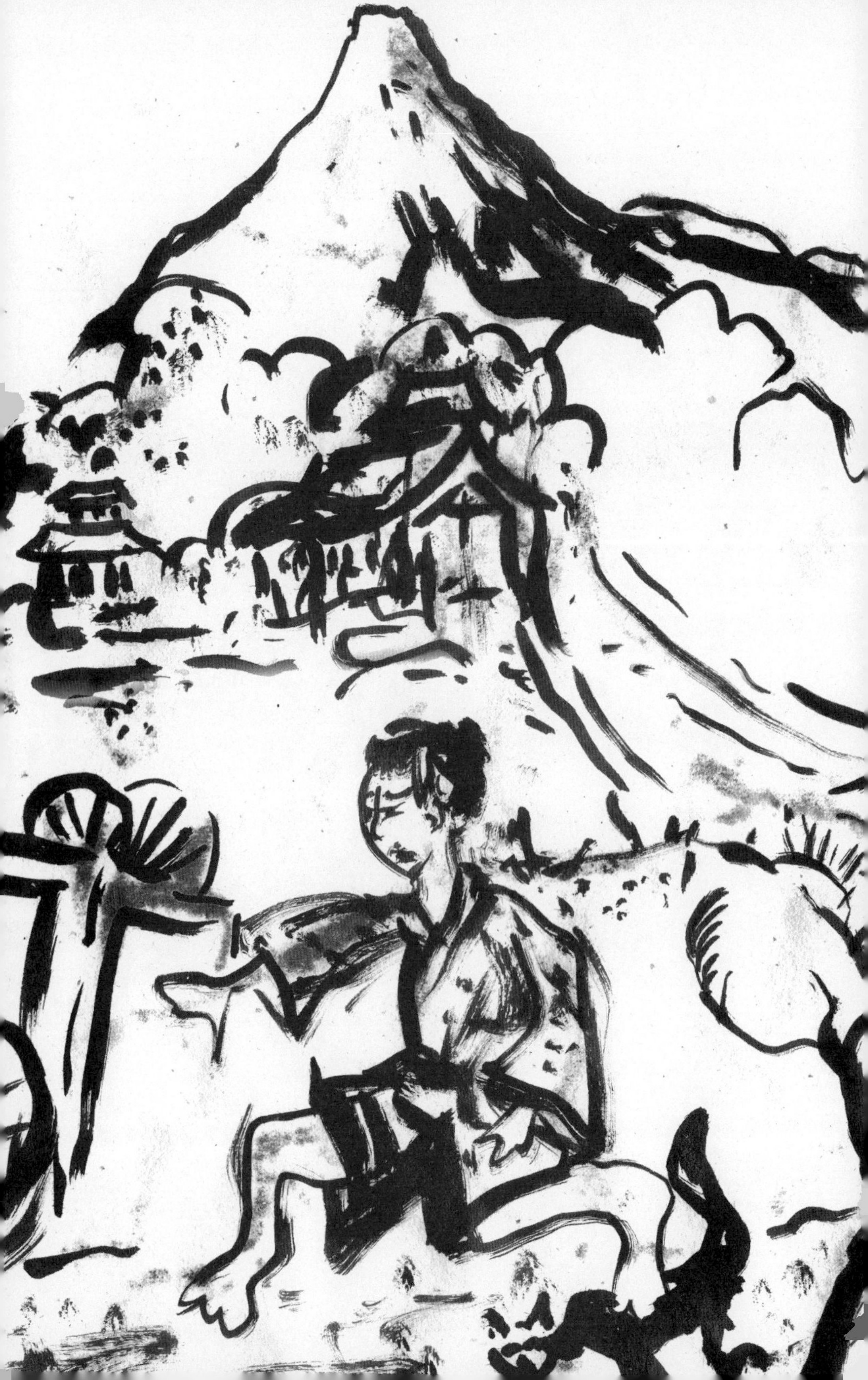

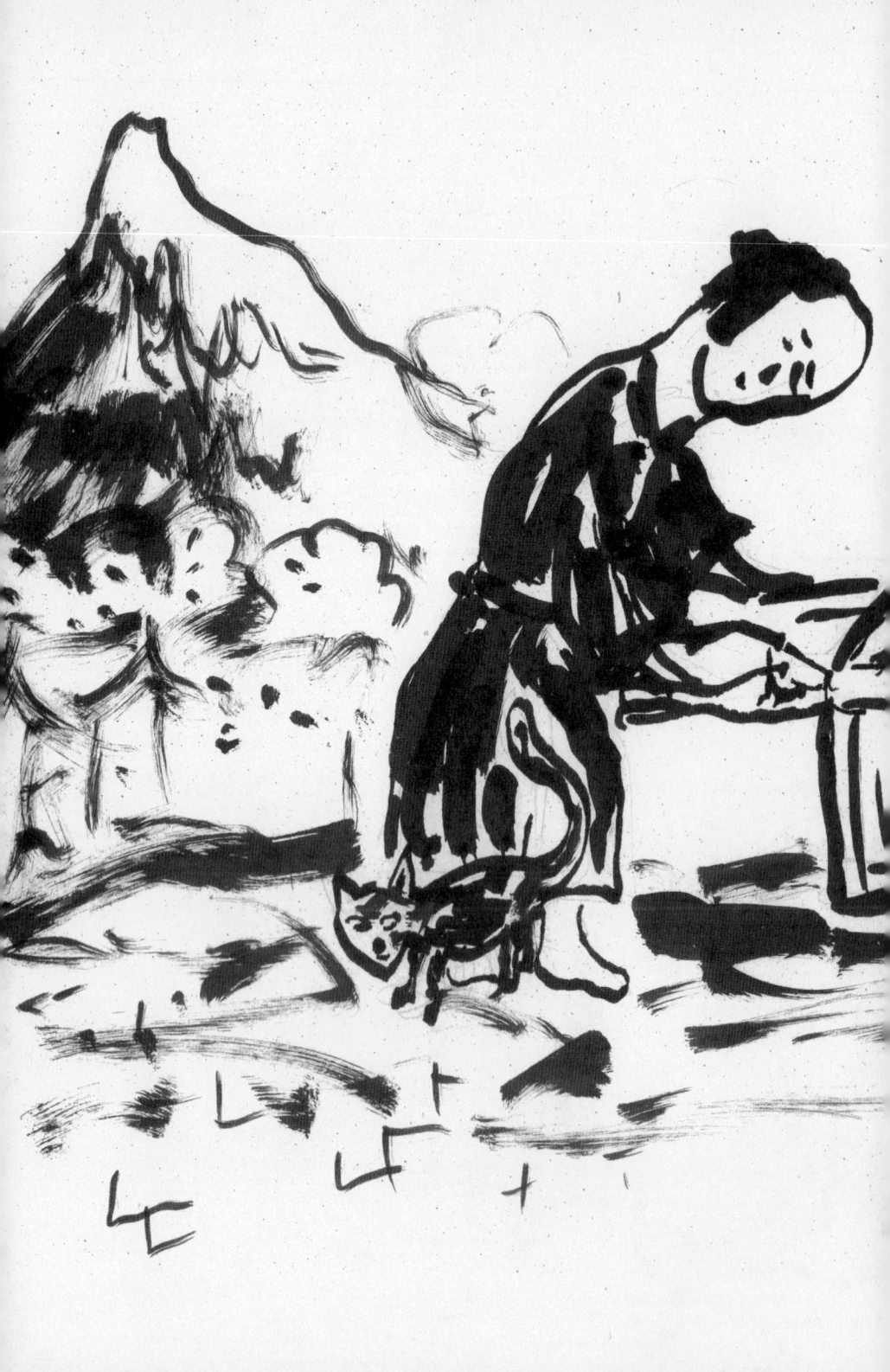

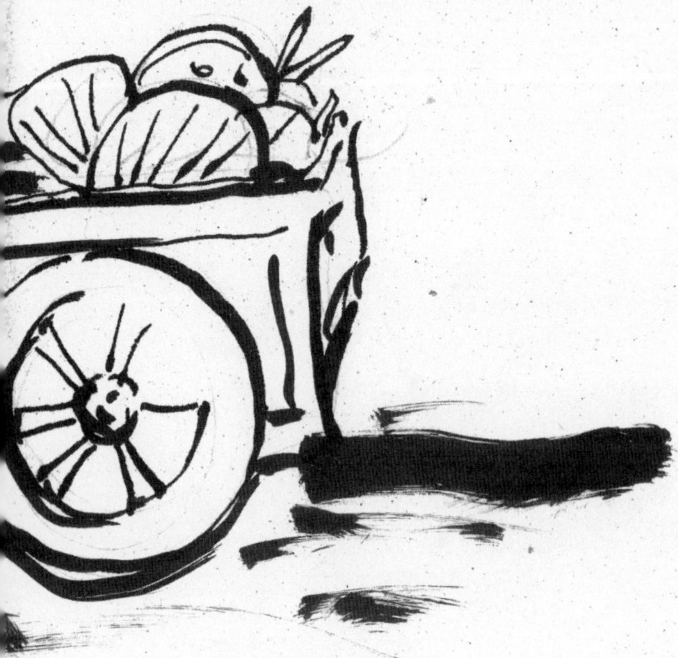

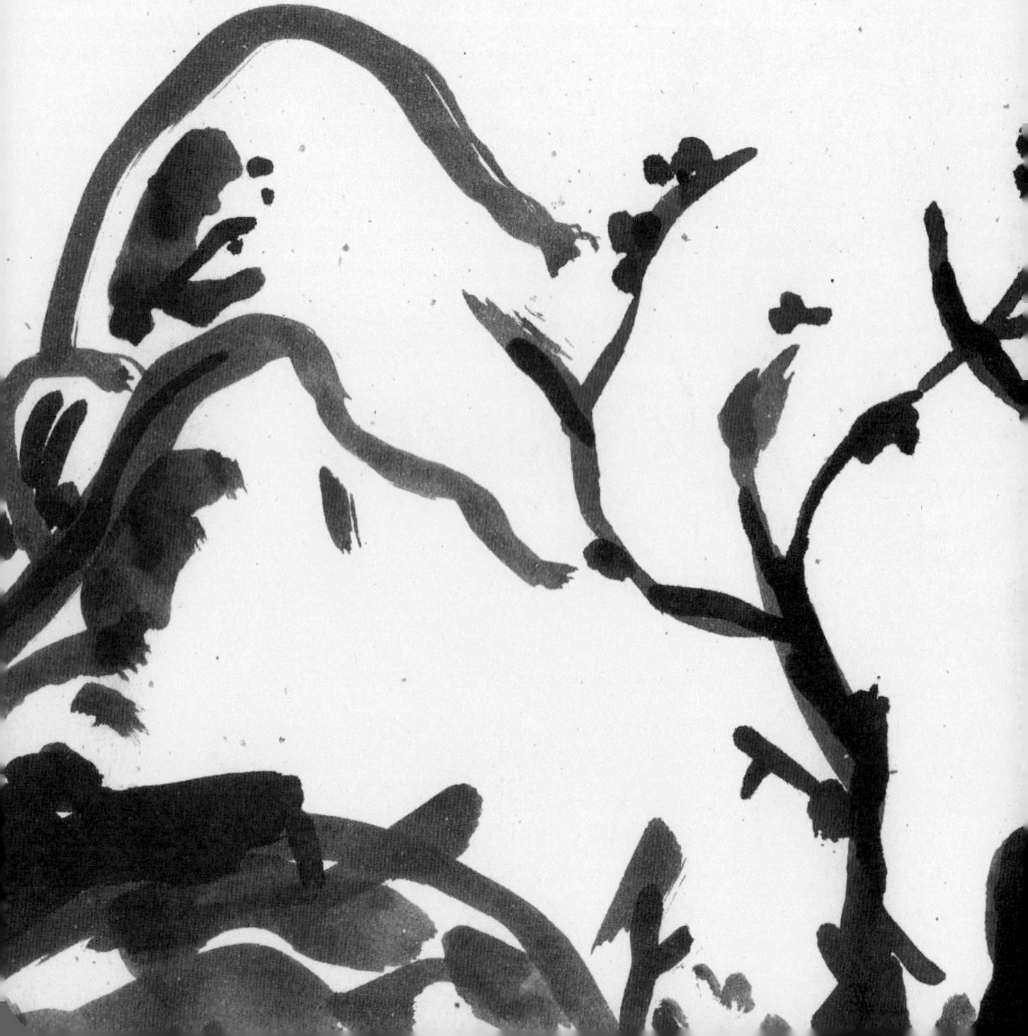

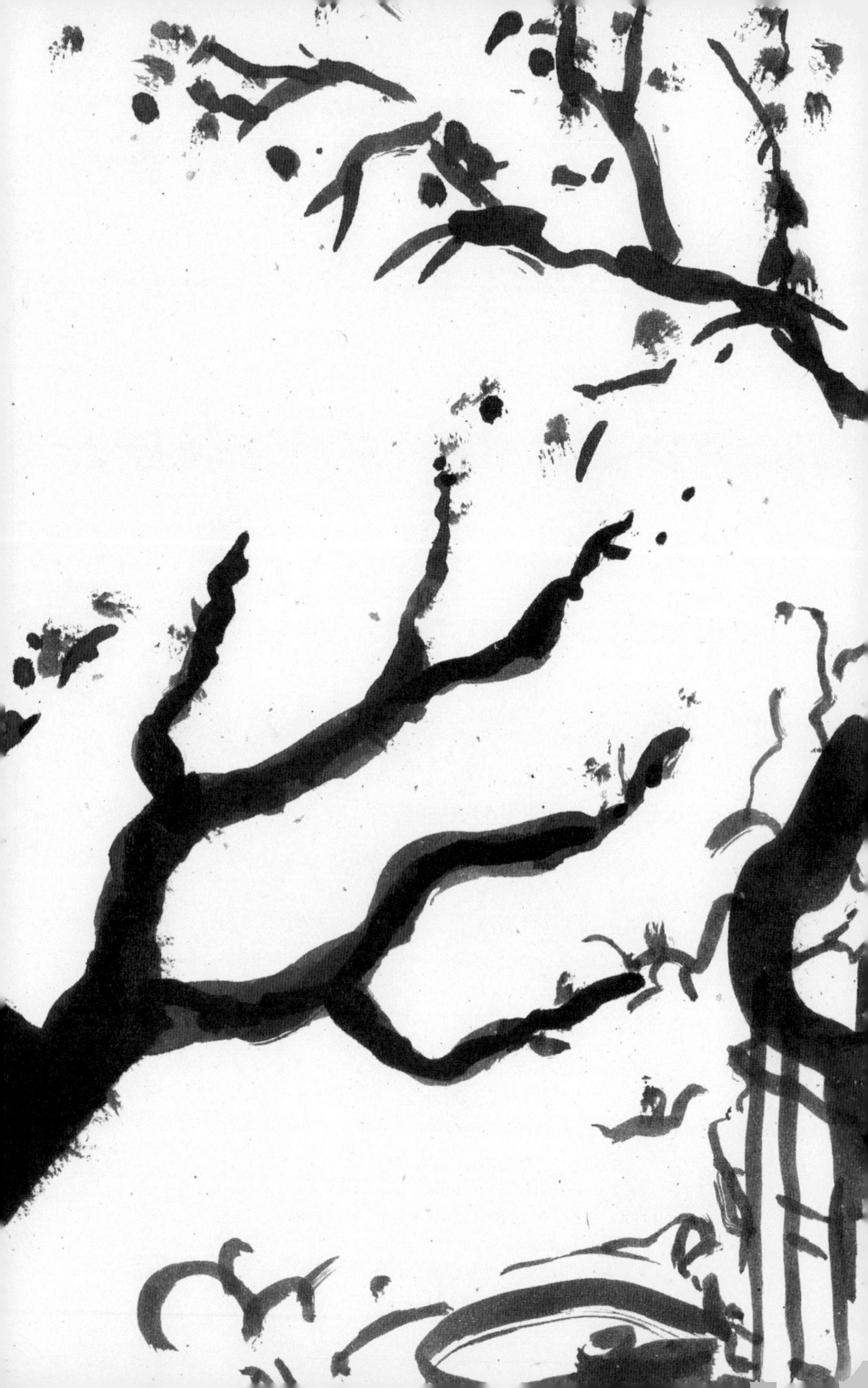

Este livro, composto na fonte Silva,
foi impresso em papel Pólen Soft 80 g/m², na gráfica Gerográfica,
São Paulo, Brasil, junho de 2022.